Leonel Melo Rosa

Vamos lá começar!

EXERCÍCIOS DE VOCABULÁRIO

Níveis Elementar e Intermédio

UTILIZAÇÃO NA AULA E EM AUTOAPRENDIZAGEM

Lidel – edições técnicas, lda

EDIÇÃO E DISTRIBUIÇÃO
Lidel – Edições Técnicas, Lda.
Rua D. Estefânia, 183, r/c Dto. – 1049-057 Lisboa
Tel.: +351 213 511 448
lidel@lidel.pt
Projetos de edição: editoriais@lidel.pt
www.lidel.pt

LIVRARIA
Av. Praia da Vitória, 14 A – 1000-247 Lisboa
Tel.: +351 213 511 448
livraria@lidel.pt

Copyright © 2017, Lidel – Edições Técnicas, Lda.
ISBN edição impressa: 978-989-752-259-8
1.ª edição impressa: outubro 2004
3.ª edição atualizada impressa: julho 2017
Reimpressão de julho 2019

Paginação: Carlos Mendes
Impressão e acabamento: Realbase - Sistemas Informáticos, Lda. - Albergaria-a-Velha
Depósito Legal: 429385/17

Capa: José Manuel Reis

ÍNDICE

GRAUS DE DIFICULDADE — Legenda

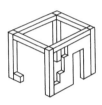

Grau de Dificuldade 1

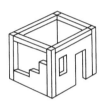

Grau de Dificuldade 2

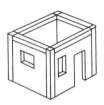

Grau de Dificuldade 3

Grau de Dificuldade 4

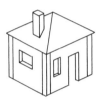

Grau de Dificuldade 5

PREFÁCIO

Com o livro *Vamos lá Começar!*, destinado a aprendentes de Português Língua Estrangeira do nível elementar, o autor, Leonel Melo Rosa, através da Editora Lidel – Edições Técnicas, continua e prolonga, numa espécie de «inversa navegação», o trabalho iniciado em *Vamos lá Continuar!*, convidando os seus utilizadores a descobrirem as bases, as fundações, do funcionamento da Língua Portuguesa, como casa que se constrói, ou a voltarem ao cais, margem, limiar, donde se parte para outros horizontes, mar maior, mais ou menos alteroso, mas sempre em busca da alteridade.

Este conjunto de exercícios de gramática e vocabulário apresenta, no entanto, a particularidade de vir a lume em dois volumes separados, facilitando-se assim o seu manuseamento e utilização pedagógica, sobretudo em situações de autoaprendizagem. A grande variedade de exercícios, a sua contextualização em pequenos fragmentos de situações autênticas muito próximas de registos de língua corrente, conferem a este segundo tomo de exercícios uma grande vivacidade, onde rigor, síntese e sistematização das regras de uso da língua vão a par com uma atitude lúdica inerente a toda a aventura de descoberta e de conhecimento. Apesar da separação em duas partes, o autor nunca perde de vista o conjunto, tecendo uma rede entre os vários elementos que compõem o livro, de modo a que, por exemplo, na execução de um determinado exercício de vocabulário, o utilizador possa aplicar ou procurar na parte gramatical os elementos de que necessita para produzir os seus enunciados. Todos os fios desta tessitura estão afinal interligados, produzindo a rede para suster o utilizador no difícil, mas aliciante, exercício de apreensão e de manipulação da língua, esse caminhar no fio de arame, «o salto mortal» para que a comunicação seja possível.

Na esteira do livro anterior, Leonel Melo Rosa oferece-nos um trabalho que assenta em certos pressupostos pedagógicos de aprendizagem de uma língua viva, como o do enfoque no aprendente, de modo a que este, após a aquisição de um certo vocabulário e estruturas, possa produzir novos enunciados; a abordagem cíclica dos conteúdos, mas respeitando uma certa progressão gramatical, sem nunca perder de vista os objetivos comunicacionais que um aprendente deste nível deve atingir: os do domínio de situações de comunicação de quotidiano num país de língua portuguesa ou mesmo certos objetivos culturais, visíveis em filigrana na contextualização dos enunciados.

O autor termina o conjunto com algumas sugestões de materiais suscetíveis de serem utilizados na aprendizagem do Português Língua Estrangeira, adquirindo particular relevo a indicação de alguns endereços eletrónicos que podem colocar o aprendente em situação interativa ou lançá-lo simplesmente na busca de informação, leitura e compreensão de dados relativos à língua e cultura portuguesas. Desta forma, *Vamos lá Começar!* ensina também a aprender a navegar na casa da Lusofonia, para que o aprendente sinta que o caderno de exercícios é *apenas* um meio de o lançar no laboratório vivo do exercício da língua, mar aberto, navegação e voo em direção a um horizonte onde as pontes se prolongam, num jogo infinito de dádiva, de partilha, onde o eu e o outro se encontram, no espaço de uma língua comum, abolindo as fronteiras entre *Começar* e *Continuar*.

José Manuel Esteves

APRESENTAÇÃO

Vamos lá Começar! tem como objetivo acompanhar e consolidar a aprendizagem feita com a ajuda de um professor, ou em autoaprendizagem, com outro tipo de material (um livro, um CD-ROM ou um curso na Internet). Estes exercícios de vocabulário têm a sequência dos conteúdos temáticos geralmente utilizada para a aprendizagem do Português Língua Estrangeira. *Vamos lá Começar! (Vocabulário)* dirige-se a aprendentes estrangeiros dos níveis A1 e A2[1] e da primeira fase do nível B1[2].

Vamos lá Começar! Exercícios de Vocabulário deverá ser utilizado, sempre que possível, em ligação com *Vamos lá Começar! Explicações e Exercícios de Gramática*. Os dois livros foram concebidos como um só, dividido em duas partes. Por isso, é indispensável trabalhar com os dois em simultâneo.

Para tornar mais fácil a compreensão do funcionamento deste livro, tal como em *Vamos lá Começar! Explicações e Exercícios de Gramática*, criámos um código que caracteriza o grau de dificuldade dos exercícios. Este código consiste numa escala de um (mais fácil) a cinco (mais difícil). Essa escala é representada por uma casa em diferentes momentos da sua construção. Assim, os exercícios com 🏠 ou 🏠 são acessíveis a um aprendente situado no nível A1; os que têm 🏠 são destinados a um aprendente do nível A2; os que têm 🏠 ou 🏠 são destinados a um aprendente do início do nível B1. Para compreender este código, o aprendente deverá ver a legenda da página 7.

Quase todos os exercícios podem ser feitos sem a ajuda de um professor. As soluções estão no fim do livro. Os exercícios que exigem o apoio de um professor têm a indicação *SÓ PARA A AULA*.

Depois de trabalhar com estes dois livros — *Vamos lá Começar! Explicações e Exercícios de Gramática* e *Vamos lá Começar! Exercícios de Vocabulário* — o aprendente deverá prosseguir o seu trabalho de aprendizagem do Português com o livro *Vamos lá Continuar! Explicações e Exercícios de Gramática e Vocabulário*[3] destinado a aprendentes dos níveis B1, B2 e C1.

O AUTOR

---

[1] Ver *Quadro Europeu Comum de Referência para as Línguas*, Porto, ASA, 2001.
[2] Op. cit.
[3] Melo Rosa, Leonel, *Vamos lá Continuar!*, Lisboa, Lidel, 2.ª edição, 2011.

IDENTIFICAÇÃO E CARACTERIZAÇÃO DE PESSOAS

IDENTIFICAÇÃO I

Faça corresponder os nomes da coluna da esquerda com a sua descrição (coluna da direita).
Escreva a letra adequada na coluna do meio.

1. Passaporte	*h)*	a) Documento que permite a um cidadão estrangeiro residir em Portugal.
2. Cartão de cidadão		b) Número, composto por nove dígitos, inscrito no cartão de contribuinte de um cidadão português.
3. Carta de condução		c) Permite a um cidadão consultar e requisitar livros numa biblioteca pública ou numa instituição.
4. Autorização de residência		d) Cartão que serve para comprovar o facto de um cidadão ser associado de uma associação recreativa ou cultural ou de um clube desportivo ou outro.
5. NIF		e) Nome de um cidadão escrito com a sua própria mão e que serve para certificar qualquer documento com o seu nome.
6. Cartão de eleitor		f) Nome(s) de família de uma pessoa.
7. Cartão de leitor		g) Cartão que permite guiar um veículo motorizado (carro, mota, camião, etc.).
8. Cartão de sócio		*h) Documento que permite a um cidadão entrar em países estrangeiros.*
9. Assinatura		i) Documento de identificação dos cidadãos portugueses, sem limite mínimo de idade.
10. Apelido		j) Cartão que possibilita a um cidadão português votar nas eleições ou participar num referendo.

Olá! Eu chamo-me António Sousa Lima.
Nasci no Porto no dia 2 de abril de 1959. Sou engenheiro civil (fiz a licenciatura em Engenharia Civil na Universidade de Coimbra) e trabalho numa fábrica chamada PLACADURA, perto de Guimarães. Sou casado e tenho três filhos. Moro na Rua Camilo Castelo Branco, 87, 3.º Dto., 4800-021 Guimarães. O meu telefone fixo é o 253 458 796 e o meu telemóvel é o 964 513 208. O meu endereço eletrónico é: aslima@gmail.com.

Preencha este impresso (com letras maiúsculas) de acordo com o texto.

Nome (próprio)																							
Apelido																							
Data de nascimento																							
Local de nascimento																							
Nacionalidade																							
Habilitações académicas																							
Profissão																							
Estado civil																							
Morada																							
N.º / Lote / Andar																							
Código postal																							
Cidade																							
Telefone (fixo)																							
Telemóvel																							
E-mail																							

FORMAS DE SAUDAÇÃO

Formal

Informal

---

* "Bom dia!" – Saudação inicial ou de despedida usada durante a manhã, à chegada ou como despedida.
"Boa tarde!" – Saudação inicial ou de despedida usada durante a tarde, desde o meio-dia ao anoitecer, à chegada ou como despedida.
"Boa noite!" – Saudação inicial ou de despedida usada durante a noite, à chegada ou como despedida.

SAUDAÇÕES DE DESPEDIDA

Mais Formal

Menos Formal

Informal

FORMAS DE SAUDAÇÃO I

Este diálogo é formal ☐ **informal** ☐ *(Assinale a sua resposta com um X.)*
Sublinhe as palavras ou expressões deste diálogo que justificam a sua resposta.

Ex.: *Ei* Pedro.

A: Ei, Pedro. Como é que vai isso?

B: Tudo bem, pá*. E tu?

A: Tudo fixe! Para onde é que vais?

B: Vou para casa. Queres vir?

A: Desculpa, mas agora não posso. Tenho de estudar para o teste de Ciências.

B: Não há problema. Fica para outra vez.

---

* Forma abreviada de "rapaz", mas pode ser usada por indivíduos dos dois sexos.

FORMAS DE SAUDAÇÃO II

Complete este diálogo com as palavras seguintes.

Cumprimentos	obrigada (2x)
gripe	*Boa tarde*
igualmente	na nossa idade
a Senhora (2x)	Vai-se indo
melhoras	

D. Conceição: *Boa tarde*, D. Joana. Como está [(1)] _____?

D. Joana:　　Bem, [(2)] _____ . E [(3)] _____?

D. Conceição: [(4)] _____. Menos mal.

D. Joana:　　Ainda não está boa da [(5)] _____?

D. Conceição: Já, sim, obrigada. Mas sabe que, [(6)] _____, estas coisas custam a passar.

D. Joana:　　Bom, então, estimo as suas [(7)] _____.

D. Conceição: Obrigada, D. Joana. [(8)] _____ ao seu marido.

D. Joana:　　Obrigada, [(9)] _____ para o seu. Ele está bem?

D. Conceição: Está sim, [(10)] _____.

FORMAS DE SAUDAÇÃO E DESPEDIDA

Faça a correspondência das situações (coluna da esquerda) com as formas de saudação e despedida respetivas (coluna da direita). Escreva a letra adequada na coluna do meio.

1. Quando um amigo ou um colega faz anos, dizemos:	*f)*	a) Até já!
2. Nos últimos dias do ano, dizemos:		b) Até logo!
3. Num cartão de Boas Festas, escrevemos:		c) Olá! Tudo bem?
4. Quando dizemos adeus a uma pessoa que vamos ver uma hora depois, dizemos:		d) Boa tarde! Está bom?
5. Quando dizemos adeus a uma pessoa que vamos ver muito mais tarde, ou no mesmo dia, dizemos:		e) Adeus. E bom fim de semana!
6. À frase "Olá, como está? Passou bem?", podemos responder:		*f) Muitos parabéns! …E muitas felicidades!*
7. Quando encontramos na rua um colega de trabalho com quem não temos uma relação informal, podemos dizer:		g) Bom Ano!
8. Quando encontramos um amigo, podemos dizer:		h) Feliz Natal!
9. No Natal, podemos dizer:		i) Boas Festas e um ótimo Ano Novo!
10. À frase "Então, até segunda-feira.", podemos responder:		j) Bem, obrigado. E o Senhor?

FORMAS DE APRESENTAÇÃO

Formal

Mais formal

Menos formal

Informal

Mais informal

Menos informal

FORMAS DE APRESENTAÇÃO I

Ponha este diálogo por ordem. Escreva o algarismo adequado, de acordo com o exemplo.

☐ Dr. Simões: Aceita um café?

☐ Dr. Simões: Muito prazer. Fernando Simões.

☐ D. Paula: Com certeza, Sr. Doutor.

☐ Sr. Jorge Guimarães: Com todo o gosto.

☐ Dr. Simões: Pode mandar entrar.

☐ Dr. Simões: Pode trazer-me dois cafés, se faz favor?

☐ D. Paula: Sr. Jorge Guimarães. Apresento-lhe o Dr. Simões.

☐ Dr. Simões: Então, o que é que o Senhor pretende exatamente?

☐ Sr. Jorge Guimarães: Jorge Guimarães. Muito prazer.

1 *D. Paula:* *Sr. Doutor, está aqui o Sr. Jorge Guimarães, do jornal "Hoje".*

FORMAS DE APRESENTAÇÃO II

Complete este diálogo com as frases seguintes.

Olá, tudo bem? Sou o João.	Estou bem.
Estás a gostar?	Não, não conheço.
Como estás?	Margarida, este é o João.
Tu também andas na Faculdade de Ciências?	E tu? Ainda estás em Filosofia?
Olá, eu sou a Margarida.	*Olá, António.*
António, ainda estás em Ciências?	

João: *Olá, António.* (1) _____

António: (2) _____ E tu?

João: Tudo bem, obrigado.

António: Já conheces a Margarida?

João: (3) _____

António: Esta é a Margarida. (4) _____

Margarida: (5) _____

João: (6) _____ (7) _____

António: Sim, continuo na Faculdade de Ciências.

João: (8) _____

António: Estou a gostar de algumas cadeiras, mas de outras não gosto nada.

(9) _____

João: Não. Agora estou a estudar Sociologia. (10) _____

Margarida: Sim, e gosto bastante.

A FAMÍLIA

bisavô	bisavó	bisavós
avô	avó	avós
pai	mãe	pais
filho	filha	filhos
irmão	irmã	irmãos
neto	neta	netos
bisneto	bisneta	bisnetos
sogro	sogra	sogros
genro	nora	—
cunhado	cunhada	cunhados
tio	tia	tios
primo	prima	primos
sobrinho	sobrinha	sobrinhos
padrinho	madrinha	padrinhos
afilhado	afilhada	afilhados
noivo	noiva	noivos
marido	mulher	—

A FAMÍLIA I

António Torres e Felismina Torres

José Fonseca Torres e
Maria Antónia Fonseca Torres

Joaquim Campos e
Maria Francisca Torres

Manuel Torres e
Luísa Sousa

Afonso, Miguel, Tiago e Ana

Joana, Helena e Sofia

Complete estas frases de acordo com a árvore genealógica da página anterior.

Ex.: O Sr. António Torres é *bisavô* do Afonso e da Ana.

1 — A Joana é _____ do Afonso.

2 — A Ana e o Tiago são _____ do Afonso e do Miguel.

3 — A Sofia tem duas _____ .

4 — O Sr. José Fonseca Torres é _____ do Sr. António Torres e da D. Felismina.

5 — A D. Felismina é _____ do Sr. Manuel Torres.

6 — A D. Luísa e o Sr. Manuel Torres são_____ do Miguel.

7 — A Joana e a Helena são_____ do Sr. Campos.

8 — A D. Maria Francisca e o Sr. Campos são_____ do Afonso, do Miguel, do Tiago e da Ana.

9 — O Miguel e a Sofia são_____ do Sr. António Torres e da D. Felismina.

10 — O Sr. António Torres e a D. Felismina são_____ da D. Maria Francisca e do Sr. Manuel Torres.

A FAMÍLIA II

Escreva um texto sobre a sua família.

SÓ PARA A AULA

_____

_____

_____

_____

_____

_____

_____

_____

_____

_____

_____

_____

_____

_____

_____

_____

 1

 2

 3

 4

 5

 6

 7

 8

 9

 10

 11

 12

 13

 14

 15

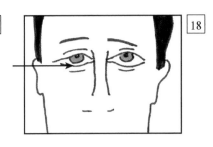

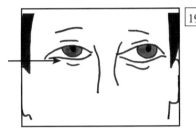
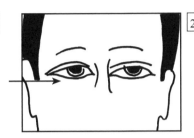
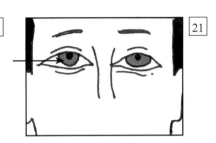

Escreva o número correspondente, de acordo com as imagens.

elegante	*14*	gordo		atraente	
olhos verdes		forte		olhos azuis	
morena		baixo		cabelo comprido	
bigode		alto		cabelo encaracolado	
olhos castanhos		olhos pretos		magra	
bonita		cabelo liso		cabelo ondulado	
cabelo louro		barba		feio	

Palavras e expressões úteis
Qualificações para o carácter, o temperamento e o comportamento

– inteligente (≠ estúpido)

– falador (≠ reservado)

– bruto (≠ meigo)

– simpático (≠ antipático)

– estudioso

– interessante

– honesto (≠ desonesto)

– maduro (≠ infantil)

– maçador

– compreensivo (≠ intolerante)

– trabalhador (≠ preguiçoso)

– carinhoso

– educado

– divertido

– eficiente (≠ ineficaz)

– ciumento

– lento (≠ rápido)

– louco

– nervoso (≠ calmo)

Nota: Ver "Formação do Feminino – Nomes e Adjetivos", in *Vamos lá Começar! – Explicações e Exercícios de Gramática,* Leonel Melo Rosa, Lidel, 2011, pp. 32 e 33.

DESCRIÇÃO DE PESSOAS II

Faça a correspondência das imagens na coluna da esquerda com as frases da coluna da direita. Escreva a letra correspondente na coluna do meio.

1.	*f)*	a) O Sr. Lopes tem barba.
2.		b) A D. Noémia é gorda e baixa.
3.		c) O João tem o cabelo castanho muito comprido e olhos claros.
4.		d) O Kasamoto pesa 198 quilos!
5.		e) O John Foster mede 2,15 m!
6.		*f) A Joana é alta e magra.*
7.		g) A Manuela tem um vestido azul.
8.		h) A Sofia Vaz tem o cabelo louro muito curto.
9.		i) O Miguel é um homem bonito.
10.		j) A Joaninha tem o cabelo ruivo e tem tranças.
11.		k) O Pedro tem olhos azuis.

SÓ PARA A AULA

Escreva o retrato físico e psicológico de dois amigos muito diferentes.

Retrato físico	Retrato psicológico

ESTADOS FÍSICOS / SENSAÇÕES / SENTIMENTOS I

 1

 2

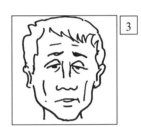 3

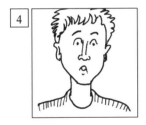 4

 5

 6

 7

 8

 9

Escreva o número correspondente de acordo com as imagens.

estar com frio		estar com calor		estar doente	
rir		estar triste		chorar	
estar cansado		estar contente		estar surpreendido	

Palavras e expressões úteis	
– estar / ficar	– com fome / com apetite (= ter fome) – com sede (= ter sede) – maldisposto – bem-disposto – ansioso – com receio (= ter receio) – com medo (= ter medo) – calmo – excitado – agitado – zangado

ESTADOS FÍSICOS / SENSAÇÕES / SENTIMENTOS II

Faça a correspondência dos estados de espírito (coluna da esquerda) com as respetivas causas (coluna da direita). Escreva a letra correspondente na coluna do meio.

1. O Jorge está triste, porque	*c)*	a) são três horas e ainda não almoçou!
2. A Mariana está contentíssima, porque		b) dormiu muito mal esta noite.
3. O Pedro está muito nervoso, porque		*c) perdeu a carteira com os documentos.*
4. A Helena está cheia de fome, porque		d) a casa era mais cara do que pensavam.
5. O bebé está muito agitado, porque		e) só um aluno fez o trabalho de casa.
6. Eu estou cheio de calor, porque		f) foi a pé para casa.
7. Eu estou com dores de dentes, porque		g) teve 18 no exame de Física.
8. A Ana e o Nuno ficaram surpreendidos, porque		h) estão 40 graus e a sala não tem ar condicionado!
9. O professor está muito zangado, porque		i) vão entrar em campo daqui a dez minutos e não podem perder o jogo.
10. A Guida está muito cansada, porque		j) tenho uma infeção num dente.
11. Os jogadores estão receosos, porque		k) vai ter amanhã exame de Filosofia.

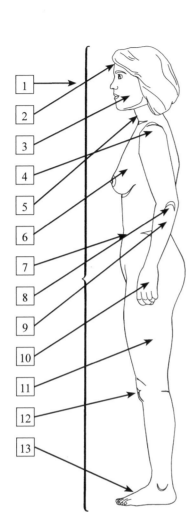

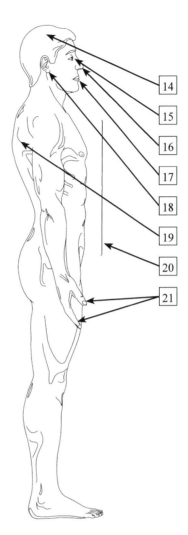

Escreva o número correspondente de acordo com as imagens.

barriga	7	dedos		costas	
perna		ombro		nariz	
braço		cabeça		mão	
olhos		peito		cara	
cabelo		pé		orelha	
boca		tronco		pescoço	
corpo		joelho		cotovelo	

CORPO HUMANO II

cabelo	coração	dedos	visão
tronco	olhos	sangue	dentes
cabeça	boca	nariz	braços
ouvidos	pernas	pés	*corpo*

Complete este texto com as palavras deste quadro.

O *corpo* humano é constituído por três partes: (1)_____, (2)_____ e membros. Na parte superior da cabeça temos o (3)_____. Ao meio da cara, temos o (4)_____ com o qual podemos respirar. Nas partes laterais da cara, temos os (5)_____ que nos permitem ouvir. Nós vemos graças à (6)_____. Temos dois (7)_____ que estão sobre o nariz. Ainda na cara, temos a (8)_____ com a qual podemos comer graças ao auxílio dos (9)_____. No tronco, temos os (10)_____ e as mãos. Cada mão tem cinco (11)_____. No tronco, dentro do peito, temos o (12)_____ que é o símbolo do amor. Dentro do nosso corpo, temos um líquido precioso que se chama (13)_____. Pode ser de tipo A, B, AB ou O.

O ser humano desloca-se graças às (14)_____ e aos (15)_____.

SAÚDE E DOENÇA I

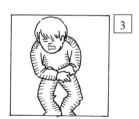

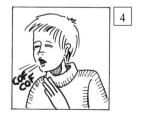

 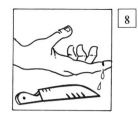 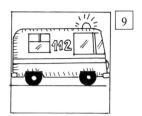 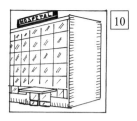

Escreva o número correspondente, de acordo com as imagens.

ter dores de dentes		estar constipado		ter dores de barriga	
ter febre		ter tosse		cortar-se	
espirrar		ambulância		ter dores de cabeça	
hospital					

Palavras e expressões úteis: doenças	
– Hoje estou mal dos intestinos. – Dói-me a cabeça. – Doem-me as costas.	– estar com / ter dores de cabeça / diarreia / asma / / bronquite / tosse – ter um abcesso – ter um ar (pouco / muito) saudável
– sentir-se bem – sentir-se mal – magoar-se – queimar-se – partir um braço	– estar com bom / mau aspeto – aleijar-se (= magoar-se) – deitar sangue pelo nariz – apanhar uma constipação / uma gripe – ficar constipado / com febre / com gripe / com dores de cabeça – fazer uma operação ao apêndice / à garganta – ter uma doença / uma infeção / uma alergia / um cancro – ter sarampo / varicela / bronquite / anginas – medir a temperatura (= tirar a temperatura / ver a temperatura)

Palavras e expressões úteis: serviços de saúde		
– médico – enfermeiro – chamar o médico – doente – marcar uma consulta – ir ao hospital / centro de saúde – urgência – grupo sanguíneo – consultório (médico) – passar uma receita / / prescrição – passar um atestado médico – clínica – centro clínico – centro de enfermagem – laboratório de análises – fazer análises ao sangue / à urina – fazer uma ecografia / / radiografia / uma TAC – fazer um tratamento	**Seguros** – seguro de saúde – segurança social – prevenir em caso de acidente **Medicamentos e utensílios** – receitar / prescrever uns comprimidos / um xarope para as dores – dar / tomar uma injeção / / pôr um supositório / pôr uma pomada – tomar um comprimido / um xarope / umas gotas – penso rápido / seringa / / agulha / termómetro / / álcool / algodão / água oxigenada	**Especialistas** – alergologista – cardiologista – dentista – dermatologista – ginecologista – gastroenterologista – oftalmologista – otorrinolaringologista – pediatra – pneumologista – psiquiatra

SAÚDE E DOENÇA II

Faça a correspondência das frases da coluna da esquerda com as palavras da coluna da direita. Escreva a letra correspondente na coluna do meio.

1. O João está a espirrar muito.	*i)*	a) asma
2. A Mariana já foi quatro vezes à casa de banho.		b) febre
3. O Pedrinho tem borbulhas no peito.		c) reumatismo
4. A Susana tem de tomar insulina com muita frequência.		d) cólera
5. A minha avó tem muitas dores nas articulações.		e) rouquidão
6. Eles estão a vomitar e têm febres altíssimas.		f) hepatite
7. O Afonso não consegue falar.		g) diarreia
8. O Pedro tem muita dificuldade em respirar.		h) alergia
9. A Célia está muito amarela.		*i) constipação*
10. O Jorge está com 38 graus.		j) sarampo
11. A Belinha tem o corpo coberto de borbulhas. Coitadinha!		k) diabetes

Assinale com uma cruz a frase correta.

1 — As características da gripe são:

        a) acessos de febre e de dores de cabeça.

        b) dores de estômago.

        c) vómitos e diarreia.

2 — Para medir a temperatura de uma pessoa, usamos:

        a) um barómetro.

        b) um termómetro.

        c) um cronómetro.

3 — O gabinete onde o médico vê os doentes chama-se:

        a) escritório.

        b) hospital.

        c) consultório.

4 — Para curar uma queimadura superficial, devemos:

        a) pôr uma pomada.

        b) tomar um comprimido.

        c) tomar uma injeção.

5 — Um especialista de doenças de pele chama-se:

        a) gastroenterologista.

        b) alergologista.

        c) dermatologista.

6 — Uma pessoa com problemas respiratórios deve consultar um:

        a) cardiologista.

        b) pneumologista.

        c) oftalmologista.

7 — Uma pessoa constipada tem:

        a) problemas de estômago.

        b) obstipação.

        c) problemas respiratórios.

8 — Uma pessoa com um abcesso na boca, deve ir ao:

a) dentista.

b) psiquiatra.

c) alergologista.

9 — Quando uma pessoa está doente, deve apresentar no emprego:

a) uma receita médica.

b) uma prescrição médica.

c) um atestado médico.

10 — Para desinfetar feridas, podemos usar:

a) água mineral.

b) soro fisiológico.

c) água oxigenada.

$$\boxed{SAÚDE\ E\ DOENÇA\ IV}$$

Leia com atenção as informações sobre o João Sousa e a Luísa Fernandes.

Nome – João Sousa	Nome – Luísa Fernandes
Idade – 40 anos	Idade – 30 anos
Peso – 85 kg	Peso – 48 kg
Altura – 1,70 m	Altura – 1,75 m
Problemas – dores de coluna, digestões difíceis, dores de cabeça, más disposições frequentes	Problemas – falta de apetite, dores de cabeça, angústias
Tipo de vida – muito agitada	Tipo de vida – muito agitada
Exercício físico – nenhum	Exercício físico – natação, ginástica aeróbica
Profissão – empresário	Profissão – atriz

O João Sousa e a Luísa Fernandes foram consultar um clínico geral. Com base nas informações da página anterior, imagine um (só um) dos diálogos.

_____
_____
_____
_____
_____
_____
_____
_____
_____
_____
_____
_____
_____
_____
_____
_____

O TEMPO

CALENDÁRIO I
AS ESTAÇÕES DO ANO

Escreva os nomes das estações do ano por baixo da imagem correspondente.

a)

b)

c)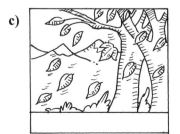

d)

Escreva os nomes dos meses do ano por baixo da imagem correspondente.

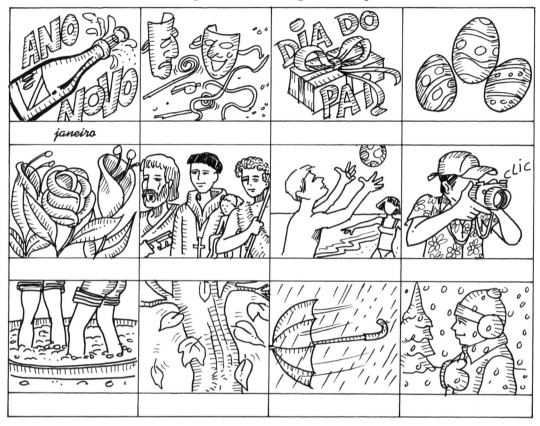

janeiro

Palavras e expressões úteis	
– ar puro (≠ poluído)	– Está bom / mau tempo.
– sol	– Está sol.
– chuva	– Está a chover / chuviscar.
– vento / ventania	– Está a nevar.
– neve	– Está a trovejar.
– nevoeiro	– O tempo está quente / frio.
– granizo	– Está calor / frio.
– geada	– Está uma temperatura amena.
– gelo	– Está muito vento.
– trovoada	– O dia está magnífico / desagradável.
– relâmpago	– Está um dia horrível! / Está um tempo horrível!
– trovão	– O tempo está enevoado.
– tempestade / temporal	– O céu está nublado / encoberto (≠ limpo).
– nuvens	– O ar está quente / abafado.
– frio	– Está nevoeiro.
– calor	
– humidade	
– estação	
– período	
– época	

Escreva os nomes dos dias da semana à frente dos números de acordo com o exemplo.

CALENDÁRIO IV

primavera	chove	calor
verão	neva	praia
outono	frio	campo
março	árvores	castanhas
junho	folhas	amarelas
dezembro	flores	vento
inverno	pássaros	

Complete o texto seguinte com as palavras deste quadro.

Na Europa, o *inverno* começa em [1]_____ (12.º mês) e acaba em [2]_____

(3.º mês). [3]_____ muito e em muitos países [4]_____. Em quase todos os países,

faz [5]_____ e, em alguns, faz mesmo muito frio.

Em Portugal, a [6]_____ é geralmente uma estação muito agradável. Começa em

[7]_____ (3.º mês) e acaba em [8]_____ (6.º mês). As [9]_____ ficam cheias de

[10]_____ e [11]_____ e os [12]_____ cantam alegremente.

No [13]_____, geralmente faz muito [14]_____. Muitas pessoas vão para a [15]_____

mas há algumas que preferem o [16]_____.

No [17]_____, as [18]_____ ficam sem [19]_____. Estas ficam [20]_____ e

[21]_____ e caem no chão. O [22]_____ sopra com violência.

QUE HORAS SÃO?

Como perguntar as horas

Formal

Informal

HORAS

Escreva as horas, de acordo com as imagens.

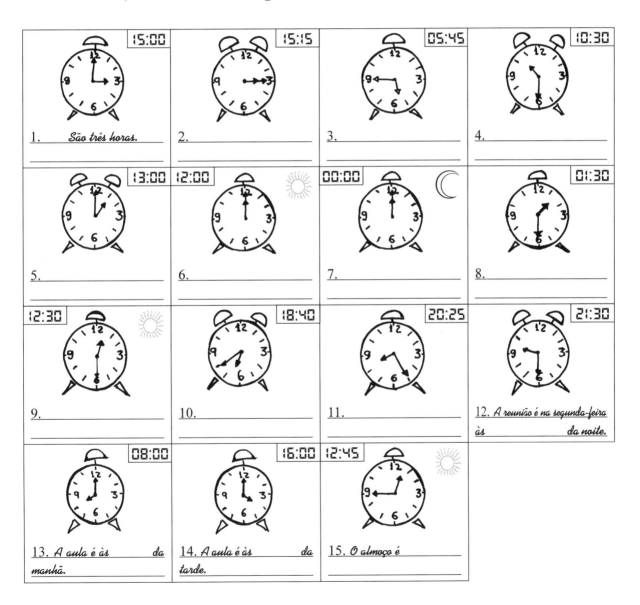

1. `15:00` *São três horas.* _____

2. `15:15` _____

3. `05:45` _____

4. `10:30` _____

5. `13:00` _____

6. `12:00` _____

7. `00:00` _____

8. `01:30` _____

9. `12:30` _____

10. `18:40` _____

11. `20:25` _____

12. `21:30` *A reunião é na segunda-feira às _____ da noite.*

13. `08:00` *A aula é às _____ da manhã.*

14. `16:00` *A aula é às _____ da tarde.*

15. `12:45` *O almoço é _____*

Complete o diálogo de acordo com as referências entre parênteses.

Ex. 1: Quando temos aula de Português? (2.ª, 4.ª, 18h00)

À segunda e à quarta-feira, às seis da tarde / às dezoito.

Ex. 2: Quando é o jogo? (4.ª, 19h45)

É na quarta-feira, às oito menos um quarto. / É na quarta-feira às dezanove e quarenta e cinco.

1 — Quando é a próxima reunião? (3.ª, 21h00)

_____

2 — Quando fazes anos? (21/12)

_____

3 — Quando é que o teu irmão faz anos? (5/2)

_____

4 — Há quantos anos moras em Lisboa? (12)

_____

5 — Quando começa e acaba a primavera?

_____

6 — Quantos dias tem o mês de janeiro?

_____

7 — A que horas começa o telejornal? (13h00)

_____

8 — Quando tens ginástica? (3.ª, 5.ª, 18h30-19h30)

_____

9 — Quando tens natação? (4.ª, 6.ª, 15h00-16h00)

_____

10 — Quando é que não temos aulas de Português? (2.ª, 4.ª, 6.ª, sábado, domingo)

_____

CALENDÁRIO / HORAS / DIAS DA SEMANA II

Escreva um texto sobre a semana da Joana, de acordo com a agenda dela.

A Joana tem aula de Italiano à segunda e à quarta, das seis às oito.

Complete as frases de acordo com as imagens relativas ao tempo em cada cidade.

	Estocolmo	**1** — Em Estocolmo, *está a nevar.*
	Bruxelas	**2** — Em Bruxelas, _____ com intensidade.
	Hanói	**3** — Em Hanói, está muito _____.
	Oslo	**4** — Em Oslo, está muito _____.
	Madrid	**5** — Em Madrid, está a _____.
	Aveiro	**6** — Em Aveiro, está muito _____.
	Londres	**7** — Em Londres, está _____.
	Paris	**8** — Em Paris, o céu está _____.
	Lisboa	**9** — Em Lisboa, está _____ tempo.

Escreva o(s) número(s) adequado(s) à frente das frases, de acordo com as imagens.

a) O dia de amanhã será um dia chuvoso e desagradável.	2/10
b) A neve vai continuar a cair nas terras altas.	
c) O sol brilha intensamente.	
d) A visibilidade é muito baixa na autoestrada A1.	
e) O tempo está muito quente!	
f) A temperatura desceu abaixo de zero.	
g) Tens medo da trovoada?	
h) O céu vai continuar nublado.	
i) Hoje, está um vento horrível!	
j) Amanhã teremos um dia chuvoso.	

O TEMPO III

Complete as frases com as palavras indicadas dentro do quadro.

seco	húmida
gelo	tempestades de neve
trovão	relâmpago
granizo	arrefecimento
boletim meteorológico	*temperatura*
negativas	

Quando a *temperatura* é muito baixa, é muito perigoso andar de carro por causa do [1]_____ na estrada.

Uma casa à beira-mar é sempre muito [2]_____.

O clima em Cabo Verde é muito [3]_____.

Quando há uma trovoada, primeiro vemos o [4]_____ e depois ouvimos o [5]_____.

O [6]_____ é uma chuva de pedra que cai devido ao [7]_____ de determinadas zonas da atmosfera.

Quando está a nevar e está vento, há frequentes [8]_____.

Quando está a nevar, as temperaturas são geralmente [9]_____.

O [10]_____ é um serviço que permite obter informações sobre o tempo.

O TEMPO IV

ESTADO DO TEMPO	
Hoje	**Amanhã**
Regiões Norte e Centro: Céu geralmente muito nublado. Aguaceiros, aumentando de frequência à noite. Queda de neve acima dos 1500 m. Vento moderado (20 a 35 km/h) de sudoeste, soprando forte (35 a 55 km/h) nas terras altas.	Céu muito nublado. Períodos de chuva, especialmente no Norte e no Centro, onde deve ocorrer uma pequena subida de temperatura. Vento moderado (25 a 35 km/h) de sudoeste, com rajadas (até 60 km/h) e sendo forte a muito forte (50 a 65 km/h) nas terras altas.
Região Sul: Períodos de céu muito nublado. Aguaceiros pouco frequentes. Pequena subida de temperatura. Vento moderado (20 a 30 km/h) de oeste.	Céu nublado com boas abertas. Acentuada subida da temperatura.
ESTADO DO MAR	
Hoje	**Amanhã**
Costa ocidental: Ondas de oeste, com 2,5 a 3 m.	Ondas de noroeste, com 3 a 5 m.
Costa sul: Ondas de sudoeste, com 1,5 a 2 m.	Ondas de sudoeste, com 2 a 3 m.

TEMPERATURAS MÁXIMAS E MÍNIMAS		
	Hoje	**Amanhã**
Aveiro	14/8	16/9
Beja	16/9	18/10
Bragança	8/4	9/5
Castelo Branco	10/7	12/8
Coimbra	14/7	16/8
Évora	16/9	18/10
Faro	19/14	20/15
LISBOA	**16/10**	**18/12**
Penhas Douradas	4/0	5/1
Portalegre	13/8	14/9
PORTO	**13/8**	**15/9**
Sagres	18/14	20/15
Sines	16/13	18/15
Viana do Castelo	14/7	16/8
Vila Real	9/4	10/5
Viseu	10/4	11/6

Assinale as frases verdadeiras e falsas com um X, de acordo com o Boletim Meteorológico, (Estado do tempo, p. 42, e temperaturas máximas e mínimas, p. 43).

	V	F
1. Hoje o tempo está encoberto nas regiões do Norte e Centro.	X	
2. Hoje vai chover continuamente nas regiões do Norte e Centro.		
3. Hoje está a nevar nas terras altas.		
4. Hoje o vento está a soprar de sudoeste.		
5. Hoje o vento é mais forte nas regiões montanhosas.		
6. Hoje, em Bragança, está mais frio do que em Aveiro.		
7. Em todo o país, hoje está mais frio do que amanhã.		
8. Amanhã, no Sul do país, o céu estará sempre encoberto.		
9. Amanhã, no Norte, o vento vai soprar sempre com a mesma intensidade.		
10. Amanhã, o sol já vai aparecer, mas ocasionalmente, e apenas nas regiões do Sul.		

ATIVIDADES DO QUOTIDIANO

UM DIA NA VIDA DE... I

Faça o exercício da página seguinte, de acordo com estas imagens.

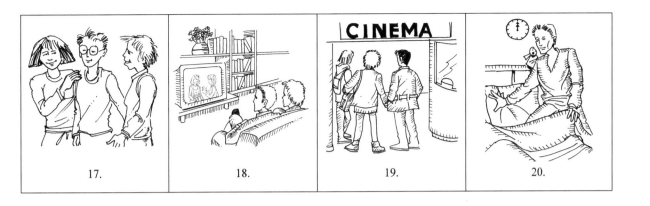

Numere as frases, de acordo com as imagens.

a) A Ana sai geralmente com amigos depois de jantar.	
b) O João apanha o autocarro para ir para o emprego.	
c) A meio da manhã, o Paulo toma um café e conversa com os colegas.	
d) Quando chega a casa, o David arruma a casa: faz a cama e uma vez por semana aspira a casa.	
e) À noite, a Fernanda vai muitas vezes ao cinema com o namorado.	
f) O Jorge ouve rádio quando toma o pequeno-almoço.	
g) Por volta das seis, o João volta para casa.	
h) Depois de se levantar, a Maria vai à casa de banho.	
i) O Pedro trabalha numa empresa de contabilidade.	
j) Depois de jantar, a Guida telefona à mãe e aos amigos.	
k) O Henrique deita-se por volta da meia-noite.	
l) O Jorge faz a barba todos os dias.	
m) Às oito, o Luís sai de casa.	
n) A Luísa veste-se no quarto.	
o) O Hugo faz sempre o jantar.	
p) A Isabel almoça no restaurante com alguns colegas.	
q) A Ana levanta-se geralmente às sete horas.	*1*
r) Depois de jantar, a Manuela e o Nuno vêem televisão.	
s) A Mariana toma geralmente o pequeno-almoço na cozinha.	
t) Depois de almoçar, o Sr. Torres costuma dar uma volta a pé com o cão.	

Assinale as frases corretas (com um X), de acordo com as imagens.

1 — Depois de se levantar, o Jorge:

        a) veste-se.

        b) lava os dentes.

        c) toma banho.   **X**

2 — Antes de sair, a Mariana costuma:

        a) arranjar-se ao espelho.

        b) tomar o pequeno-almoço.

        c) fazer a cama.

3 — Antes de sair, a família Fernandes costuma:

        a) ir à casa de banho.

        b) lavar os dentes.

        c) tomar o pequeno-almoço.

4 — Antes do pequeno-almoço, o Jorge e a Mariana:

        a) veem televisão.

        b) jogam às cartas.

        c) ouvem rádio.

5 — Depois do pequeno-almoço, o Sr. Fernandes:

          a) escreve aos amigos.

          b) calça os sapatos.

          c) lê o jornal.

6 — O Jorge e a Mariana:

          a) vão de carro com o pai.

          b) vão de carro com a mãe.

          c) vão de camioneta com o pai.

7 — A mãe deles vai para o emprego:

          a) de carro.

          b) de autocarro.

          c) a pé.

8 — Quando chegam à escola, estão lá sempre:

          a) muitas pessoas.

          b) poucas pessoas.

          c) algumas pessoas.

9 — O Sr. Fernandes trabalha:

          a) numa sapataria.

          b) numa loja de vestuário.

          c) numa livraria.

10 — A mãe costuma almoçar:

          a) com uma colega.

          b) com o patrão.

          c) sozinha.

casa de banho	nove menos um quarto	veste-se
toma um duche	leite	autocarro n.º 58
água	café	peixe
rua	cozinha	restaurante
cerveja	manteiga	vinho
pequeno-almoço	pão	salada
sete e meia	cama	carne

Complete o texto com as palavras / expressões deste quadro.

O Sr. Paredes levanta-se todos os dias às *sete e meia*. Sai da [1]_____ e vai à [2]_____. [3]_____ e [4]_____. Depois, vai para a [5]_____ onde toma o [6]_____. Toma [7]_____ com [8]_____ e come [9]_____ com [10]_____. Por volta das [11]_____, apanha o [12]_____. Geralmente, almoça com os colegas num [13]_____ na mesma [14]_____. Gosta de comer [15]_____ ou [16]_____ e, sobretudo, muita [17]_____. Geralmente, não bebe [18]_____. Prefere [19]_____ ou [20]_____.

EMPREGOS I

Faça o exercício da página seguinte, de acordo com estas imagens.

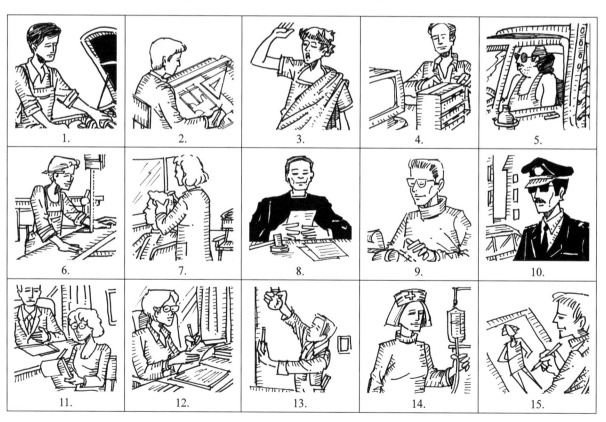

Escreva o número adequado à frente da palavra de acordo com as imagens.

funcionária	*21*	cabeleireira		secretária	
carteiro		jornalista		eletricista	
professor		escritor		técnico de informática	
vendedor		gestora		advogado	
motorista		pedreiro		médica	
carpinteiro		engenheiro civil		comerciante	
estudante		investigador		hospedeira	
estilista		juiz		arquiteto	
ator		enfermeira		polícia	
mecânico		escultor			

Expressões úteis	
– Quanto ganha por mês? – Quanto desconta? – Quanto paga de impostos? – Qual foi o seu último aumento? – O que queres ser… / querias ser… – Que subsídios recebe? – Quantos anos de serviço tem? – Vou ser promovido a subdiretor.	– ir para a reforma (= reformar-se) – estar desempregado – ficar desempregado (= ir para o desemprego) – receber subsídio de desemprego – procurar trabalho / emprego – arranjar emprego – ter um seguro de vida / saúde – segurança social – assistência médica – assistência social – ter / receber uma pensão de invalidez / viuvez – formação profissional

Faça a correspondência das frases da coluna da esquerda com as palavras da coluna da direita. Escreva a letra correspondente na coluna do meio.

1. Uma professora trabalha numa	*g)*	a) empresa.
2. Uma médica trabalha num		b) loja.
3. Um industrial trabalha numa		c) camião.
4. Um empregado trabalha numa		d) escritório ou ateliê.
5. Um bancário trabalha num		e) tribunal.
6. Um economista trabalha numa		f) oficina.
7. Um mecânico de automóveis trabalha numa		*g) escola.*
8. Um arquiteto trabalha num		h) quinta.
9. Um juiz trabalha num		i) fábrica.
10. Um agricultor trabalha numa		j) banco.
11. Um motorista trabalha num		k) hospital.

EMPREGOS III

Leia estes anúncios.

A

**VENDEDORAS
DE LOJA**
(m/f)
LISBOA

FUNÇÃO:
Atendimento personalizado na loja.

PRETENDEMOS:
- Idade máxima até 35 anos;
- Curso de Design/Decoração como fator preferencial;
- Facilidade de expressão e comunicação.

OFERECEMOS:
- Boas condições de remuneração e esquema de incentivos;
- Regalias sociais em vigor na empresa;
- Integração numa empresa em franco desenvolvimento.

B

**Empresa internacional do ramo de acessórios industriais pretende admitir
DELEGADO COMERCIAL**
(m/f)

Pretendemos:
- Experiência e conhecimento do mercado de distribuição de acessórios industriais e de ferragens;
- Disponibilidade para viajar por todo o país;
- Idade entre 30 e 45 anos;
- Capacidade para trabalhar por objetivos;
- Forte sentido de responsabilidade;
- Viatura própria ou carta de condução.

Oferecemos:
- Boas perspetivas de carreira;
- Integração num grupo empresarial de grande solidez;
- Vencimento + comissões + prémios.

Assinale com uma cruz as frases verdadeiras ou falsas, de acordo com os anúncios A e B (frases 1-7: anúncio A; frases 8-15: anúncio B).

	V	F
1. A empresa do anúncio A procura uma empregada.	X	
2. A empresa prefere um funcionário do sexo feminino.		
3. A loja é de Lisboa.		
4. O candidato não pode ter mais de trinta e cinco anos.		
5. A empresa dá primazia a uma pessoa com um curso superior na área da decoração.		
6. O candidato deverá falar línguas estrangeiras com fluência.		
7. Além de um bom ordenado, a empresa oferece outras regalias.		
8. A empresa do anúncio B é do ramo da indústria pesada.		
9. A empresa prefere um delegado comercial do sexo masculino.		
10. O candidato pode ter quarenta e cinco anos.		
11. O candidato deverá ter carta de condução.		
12. O futuro delegado comercial trabalhará sempre no mesmo local.		
13. Exige-se capacidade para trabalhar por objetivos.		
14. Oferece-se a possibilidade de subir na hierarquia da empresa.		
15. Além de um bom salário, prometem-se outras regalias.		

EMPREGOS IV

Imagine que um diretor de recursos humanos entrevista um candidato a um dos empregos referidos nos anúncios A e B. Escreva a entrevista.

SÓ PARA A AULA

_____

_____

_____

_____

_____

_____

_____

_____

_____

_____

_____

_____

_____

_____

Escreva o seu *Curriculum Vitae*, de acordo com o exemplo. Pode utilizar as palavras / expressões indicadas neste quadro.

Curriculum Vitae	Profissão	Experiência Profissional
Identificação	Cargo atual	Atividades Profissionais
Habilitações Literárias	Categoria Profissional	Outras atividades
Outras Habilitações	Formação Profissional	Interesses

Exemplo:

Identificação

Nome: Mariana Lopes Guimarães

Idade: 29

Data de Nascimento: 12/12/1974

Morada: Rua Antero de Quental, 75 – 4.º Esq., 4200-150 Porto

Telefone: 228 304 578; E-mail: marianalg@gmail.com

Habilitações Literárias: Licenciatura em Línguas e Literaturas Modernas c/ 18 valores (Universidade do Porto).

Outras Habilitações: Diplôme de l'Institut Français de Porto.

Profissão: Professora do 3.º Ciclo do Ensino Básico.

Cargo atual: Professora da escola EB 2.3 da Gafanha da Nazaré.

Categoria Profissional: Professora do Quadro de Nomeação Definitiva.

Formação Profissional: Estágio profissional (Docência) na Escola EB 2.3 Pêro Vaz de Caminha (Porto).

Experiência Profissional: 1997/98 – Escola Pêro Vaz de Caminha; 1998/2004 – Escola EB 2.3 Gafanha da Nazaré.

Atividades Profissionais: Lecionação de Português e Francês aos 7.º, 8.º e 9.º anos; Diretora de Turma.

Outras atividades: Orientação do Grupo de Teatro da Escola (1998/2004). Organização de visitas de estudo a Paris com turmas do 8.º ano (2000, 2002 e 2004).

Interesses: Línguas Estrangeiras: Francês (bilingue); Inglês (nível avançado); Espanhol (nível intermédio); Italiano (nível intermédio); Teatro.

Escreva o número correspondente a cada atividade, de acordo com as imagens.

tocar piano	7	passear no campo		ir ao cinema	
fazer malha		andar a pé		tocar viola	
ir ao teatro		fazer / praticar desporto		ler	
jogar xadrez		ver televisão		jogar às cartas	
passear à beira-mar		fazer ioga		ouvir música	

Palavras e expressões úteis			
Livros	**Imprensa**	**Filmes**	**Programas de televisão**

– de ficção
– de ficção científica
– em prosa
– de poesia
– de história
– de aventuras
– de banda desenhada
– científicos
 	
– contos
– novelas
– romances
– ensaios
	– artigos de opinião
	– notícias
	– jornais diários
	– jornais semanários
	– jornais literários
	– jornais desportivos
	– revistas de moda
	– revistas femininas
	– revistas de decoração
	– revistas políticas
	– revistas de arquitetura
	– revistas científicas
		– de ficção científica
		– de aventuras
		– de desenhos animados
		– de animação
		– históricos
		– cómicos (comédias)
		– dramáticos (dramas)
		– documentais
		  (documentários)
		– de autor
			– telejornal
			– reportagem
			– entrevista
			– debate
			– filme de ficção
			– documentário
			– série televisiva
			– telenovela
			– programa de variedades
			  (talk show)
			– concurso
			– transmissão desportiva

Espaços de convívio	**Tipos de música**	**Exposições, museus, monumentos**
– discoteca – bar – *pub* – café – cafetaria – pastelaria – esplanada – restaurante – praça – centro comercial – centro cultural – biblioteca	– clássica – moderna – popular – tradicional – *jazz* – *pop* – *rock* – contemporânea – ópera	– exposição de artes plásticas – exposição de fotografia – monumento – igreja – museu – mosteiro – castelo – palácio – sé / catedral – torre – estátua – galeria

– Combinar um encontro com alguém. – Marcar um encontro. – Ponto de encontro. – Convidar alguém para jantar / ir ao cinema.	– Fazer um convite a alguém para… – Encontrar-se com alguém (= ir ter com alguém = estar com alguém = visitar alguém). – Ir a concertos / espetáculos / exposições.

Faça a correspondência das definições na coluna da esquerda com as palavras da coluna da direita. Escreva a letra correspondente na coluna do meio.

1. Edifício ou objeto em pedra, madeira ou ferro com valor histórico.	*i)*	a) telenovela
2. Programa de televisão semelhante a um filme mas que tem muitos episódios exibidos diariamente.		b) ensaio
3. Edifício onde se expõem obras de arte e peças antigas relacionadas com um ou mais períodos da história de uma cidade, de uma região ou de um país.		c) centro comercial
4. Filme não ficcional sobre um tema, figura histórica, etc.		d) concurso
5. Jornal que sai todas as semanas.		e) passatempo
6. Edifício onde habita um grupo de membros de uma ordem religiosa.		f) semanário
7. Livro de estudo / análise de um tema em profundidade.		g) banda desenhada
8. Forma de ocupar os tempos livres.		h) museu
9. Programa de televisão que consiste em responder a perguntas a fim de ganhar prémios ou dinheiro.	*i) monumento*	
10. Livros com uma história contada em imagens desenhadas e texto.		j) documentário
11. Grande edifício com muitas lojas, restaurantes e, por vezes, salas de cinema e outros espaços destinados a atividades de lazer.		k) mosteiro

TEMPOS LIVRES III

Dois amigos (ou duas amigas) encontram-se na rua e combinam um encontro no fim de semana. Escreva o diálogo.

SÓ PARA A AULA

_____

_____

_____

_____

_____

_____

_____

_____

_____

_____

_____

Modalidades desportivas

Veja as imagens e faça o exercício da página seguinte.

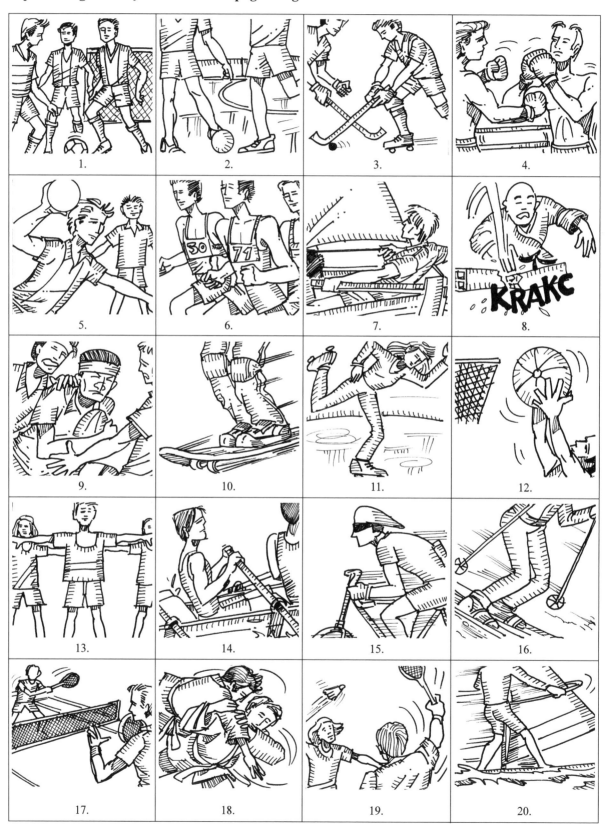

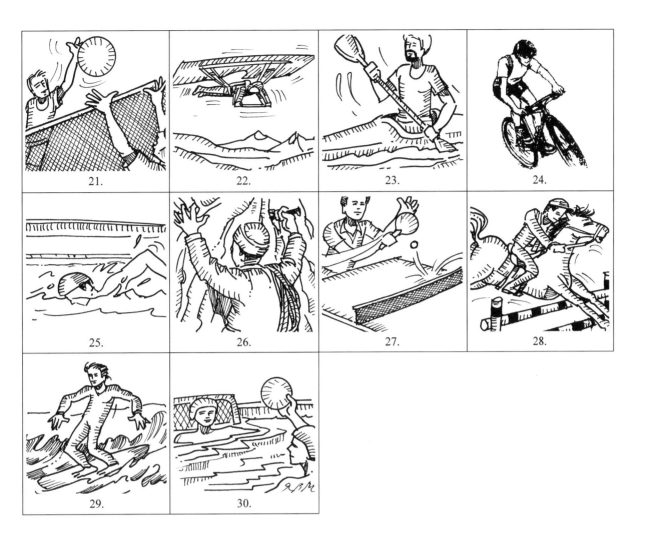

Escreva o número das palavras, de acordo com as imagens.

Modalidades desportivas

esqui	*16*	karaté		voleibol	
râguebi		patinagem		parapente	
remo		natação		canoagem	
badminton		*surf*		ciclismo	
windsurf		BTT		hóquei em patins	
ténis		*skate*		basquetebol	
judo		andebol		ginástica	
atletismo		futebol		escalada	
boxe		hipismo		polo-aquático	
vela		futebol de salão		pingue-pongue	

Espaços e equipamentos desportivos

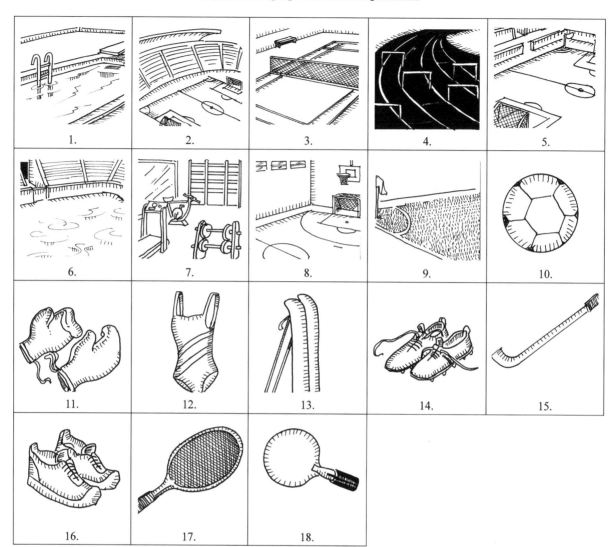

1. 2. 3. 4. 5.
6. 7. 8. 9. 10.
11. 12. 13. 14. 15.
16. 17. 18.

Espaços e equipamentos desportivos

rinque de patinagem		esquis		chuteiras	
luvas de boxe		pavilhão gimnodesportivo		*stick*	
raquete de pingue-pongue		ginásio		fato de banho	
campo de futebol		pista de atletismo		ténis / sapatilhas	
bola de futebol		raquete de ténis		*court* de ténis	
relvado		piscina		estádio	

Expressões úteis	
– Como é que está o jogo?	– Qual foi o resultado?
– Está 2-2 (dois-dois). / Está empatado.	– O Sporting perdeu com o Benfica.
– Está 2-0 (dois-zero).	– O Braga ganhou ao Boavista.
– Estamos a ganhar.	– O Guimarães empatou.
– O Porto está a ganhar 3-1 (três-um).	– O Porto ganhou o campeonato.

Escreva o nome da modalidade desportiva, de acordo com a imagem do respetivo equipamento.

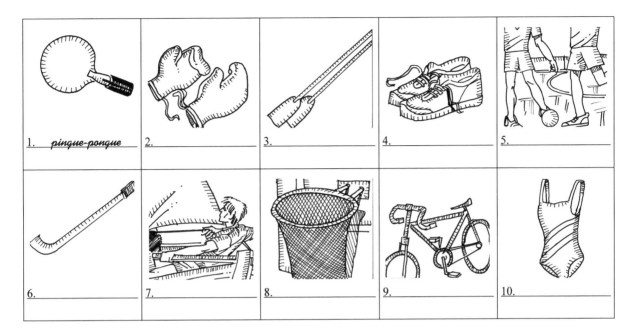

1. _pingue-pongue_   2. _____   3. _____   4. _____   5. _____

6. _____   7. _____   8. _____   9. _____   10. _____

DESPORTOS III

Faça a correspondência das definições na coluna da esquerda com as palavras da coluna da direita. Escreva a letra correspondente na coluna do meio.

1. Grupo de desportistas que jogam do mesmo lado.	_g)_	a) empate
2. Conseguir desfazer um resultado de igualdade no marcador.		b) ganhar
3. Objetivo em algumas modalidades desportivas (futebol, andebol, hóquei, etc.).		c) encestar
4. Acabar um jogo como derrotado.		d) perder
5. Introduzir a bola de basquetebol no cesto.		e) pontuação
6. Resultado de jogos em algumas modalidades (basquetebol, voleibol, etc.).		f) modalidade
7. Acabar um jogo como vencedor.		_g) equipa_
8. Grupo organizado de apoiantes de uma equipa.		h) desempatar
9. Resultado de um jogo sem vencedor nem vencido.		i) adepto
10. Género de prática desportiva.		j) claque
11. Apoiante de uma equipa.		k) marcar golo

Veja as imagens e faça o exercício seguinte.

Escreva o número adequado à frente da palavra, de acordo com as imagens.

passaporte	*9*	turista		praia	
hotel		paisagem		aeroporto	
tenda de campismo		estação		guia (pessoa)	
máquina fotográfica		guia (livro)		estátua	
agência de viagens		catedral		campo	
folheto informativo		máquina de filmar			
serra		parque de campismo			

Palavras e expressões úteis	
– ir de – tirar / pedir – gozar – ter	férias
– Quanto tempo tens de férias? – Aonde vais passar as férias? – Gostava de fazer uma viagem ao Vietname. – desejar boas férias > Boas férias!	
– posto de turismo – autocarro – pedir boleia	

VIAGENS / FÉRIAS II

Faça corresponder as frases da coluna da esquerda com as palavras e expressões da coluna da direita. Escreva a letra adequada na coluna do meio.

1. Viagem de lazer organizada, dentro do país, com um grupo de pessoas conhecidas.	*b)*	a) viagem
2. País diferente do país de origem.		*b) excursão*
3. Meio de transporte marítimo.		c) passeio
4. Deslocação profissional ou de lazer de duração variável.		d) estrangeiro
5. Programar uma atividade.		e) férias
6. Carimbo necessário para visitar alguns países estrangeiros.		f) navio
7. Documento que permite viajar num meio de transporte não individual.		g) fazer planos
8. Período de descanso anual.		h) visto
9. Registar o que se vê com uma máquina fotográfica.		i) bilhete
10. Deslocação de lazer, em geral, de curta duração.		j) tirar fotografias

SÓ PARA A AULA

Escreva um texto sobre as férias (do verão passado) do João e da Ana, de acordo com as imagens.

1.	2.	3.	4.	5.
6.	7.	8.	9.	10.

_____

_____

_____

_____

_____

_____

_____

_____

_____

_____

_____

_____

_____

_____

_____

_____

_____

_____

_____

_____

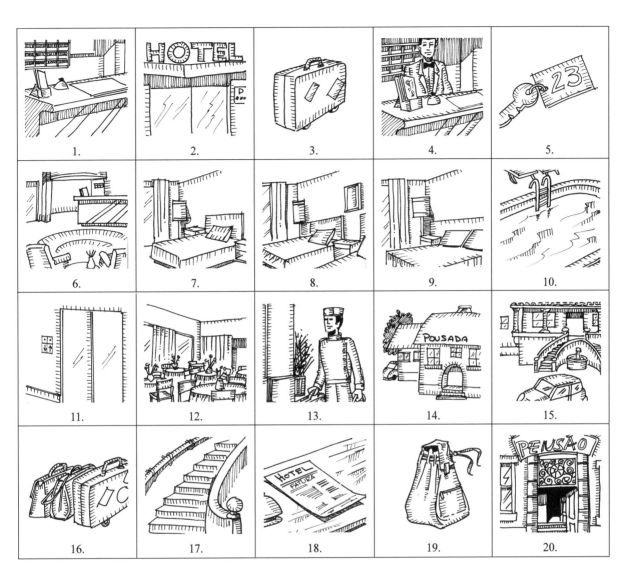

Escreva o número adequado, de acordo com as imagens.

o quarto individual		o hotel		o rececionista	
o saco		a casa de turismo de habitação		a pousada	
a pensão		o elevador		a mala	
o átrio		a chave		a bagagem	
o quarto		a sala de jantar		as escadas	
a conta		a piscina		o quarto duplo	
o empregado		a receção			

Complete o diálogo entre o rececionista e o cliente, de acordo com esta ficha de identificação de cliente.

Nome	José Soares
Idade	44
Morada	Rua José Estêvão, 45, 2.º Dto.
Cidade	Aveiro
Código Postal	3800-054
Telemóvel	963 211 908
E-mail	jmsoares@gmail.com
Profissão	Técnico informático
Observações	Preferência por quartos calmos
N.º do quarto	115

Rececionista: Boa tarde. O que deseja?

José Soares: (1)_____

Rececionista: Ora, um quarto individual… Com certeza. Tem alguma preferência?

José Soares: (2)_____

Rececionista: Com certeza. Um quarto calmo, virado para o jardim. Pode dizer-me o seu nome, por favor?

José Soares: (3)_____

Rececionista: Desculpe perguntar. Que idade tem?

José Soares: (4)_____

Rececionista: Importa-se de me dizer a sua morada, por favor?

José Soares: (5)_____

Rececionista: E o telemóvel?

José Soares: (6)_____

Rececionista: Pode dizer-me o seu endereço eletrónico?

José Soares: (7)_____

Rececionista: Profissão?

José Soares: (8)_____

Rececionista: (9)_____

José Soares: Quarto 115. Muito obrigado. (10)_____

Rececionista: Com certeza. O meu colega vai já levar as malas ao quarto do Senhor.

José Soares: Muito obrigado.

NO HOTEL III

Complete as frases, de acordo com as imagens.

Cliente: Queria um [1] *quarto duplo* , se faz favor.

Rececionista: O Senhor deseja um quarto [2]_____?

Cliente: Sim, sim. E com [3]_____, se possível.

Rececionista: Com certeza.

Cliente: O quarto tem [4]_____?

Rececionista: Tem, sim. Todos os quartos têm [5]_____ e [6]_____.

                     Vai ser o quarto 158, no [7]_____ **1.º** .

                     Importa-se de preencher a [8]_____?

Cliente: Não, não.

Rececionista: Aqui está a sua [9]_____. O [10]_____ vai já levar

                     as [11]_____.

NO HOTEL IV

Faça a correspondência do que quer fazer (coluna da esquerda) com aquilo de que precisa (coluna da direita). Escreva na coluna do meio a letra correspondente.

1. Ir à piscina	*k)*	a) uma chaleira e uma chávena
2. Escrever uma carta		b) uma máquina de barbear
3. Tomar um chá		c) um chuveiro
4. Almoçar		d) pedir ajuda ao empregado
5. Secar o cabelo		e) telefonar para o serviço de despertar
6. Tomar banho		f) um aquecedor
7. Fazer a barba		g) uma chave
8. Levantar-se às 7h00		h) ir ao restaurante
9. Levar as malas para o quarto		i) papel de carta e envelopes
10. Abrir a porta do quarto		j) um secador
11. Aquecer o quarto		*k) um fato de banho e uma touca*

Veja as imagens e faça o exercício da página seguinte.

1.	LOJA DOCE 2.	3.	ESTILO 4.	5.
6.	7.	FATURA n.o 8.	9.	10.
11.	12.	13.	14.	15.
16.	HIPER 17.	18.	19.	RECIBO 20.
21.	SUPER 22.	23.	24.	25.
26.	27.	BANCO CHEQUE 28.		

Escreva o número adequado à frente da palavra, de acordo com as imagens da página anterior.

farmácia	5	loja de brinquedos		frutaria	
hipermercado		livraria		agência de viagens	
carteira		supermercado		talho	
peixaria		loja de roupa		ourivesaria	
recibo		centro comercial		cabeleireiro	
drogaria		porta-moedas		quiosque	
pastelaria		oculista		cheque	
restaurante		florista		fotógrafo	
sapataria		fatura		caixa registadora	
papelaria					

Expressões úteis	
– A que horas fecham as lojas? – As lojas estão fechadas ao domingo. – Quem está a seguir? – Sabe dizer-me onde posso encontrar isto? – Pode mostrar-me outros? – Importa-se de ir para a fila? – Está dentro da garantia.	– Antes de usar, convém ler o manual de instruções. – Quanto custa? / Qual é o preço deste…? – Posso ver? / Posso dar uma vista de olhos? – Importa-se de pagar na caixa? – Posso pagar com cheque / cartão? – Desculpe, mas não tenho trocado / troco. – Não pode fazer-me um desconto? – Posso fazer-lhe um desconto de 10% (dez por cento).

COMPRAS II

Indique no espaço vazio quem (cliente / empregado) diz as frases.

Cliente	
	1. Desculpe, pode dizer-me onde é a secção de criança?
	2. Quanto custam estas calças?
	3. Em que posso ajudar?
	4. Com certeza. Pode pagar com cartão Multibanco ou Visa.
	5. Estas são a 70€.
	6. Posso experimentar esta saia?
	7. Não quer experimentar um tamanho maior?
	8. Desculpe. Não vou levar esta camisa. Está muito apertada.
	9. Desculpe, mas não aceitamos esse cartão.
	10. Posso pagar com cheque?

CENTRO COMERCIAL DA CIDADE			
Loja	**Piso**	**Loja**	**Piso**
ATIVO – Desporto	*3*	*GUIDA – Roupa de senhora*	*1*
AR PURO – Campismo e montanhismo	*3*	*IASSU – Restaurante grego*	*4*
AUDIVÍDEO – Áudio e Vídeo	*3*	*INTIMIDADE – Roupa interior*	*1*
BOM AMBIENTE – Cafetaria	*4*	*MESA POSTA – Restaurante*	*4*
BOM APETITE – Restaurante Self-Service	*4*	*MELODIA – Discos e cassetes áudio e vídeo*	*3*
CARNE & Cª – Restaurante	*4*	*O PAPAGAIO – Brinquedos e jogos*	*2*
CASA VIVA – Decoração e roupa de casa	*0*	*OVO DOURADO – Supermercado*	*1*
CASA FELIZ – Louças e faianças	*3*	*PAPEL & Cª – Papelaria*	*3*
CHEZ PIERRE – Restaurante francês	*4*	*PASTEL DE NATA – Pastelaria*	*4*
DALILA – Florista	*2*	*PORTUCALE – Livraria*	*3*
DISTINTO – Roupa de homem	*2*	*PRÀ CRIANÇA – Roupa de criança*	*1*
ELETROFINO – Eletrodomésticos	*1*	*QUIOSQUE 21 – Jornais e revistas*	*3*
ENTRE DENTES – Restaurante	*1*	*ROSITA – Sapataria*	*1*
FAROFA – Restaurante brasileiro	*4*	*SAYONARA – Restaurante japonês*	*4*
FOTO SERRA – Fotografia	*2*	*SENTIMENTO – Perfumaria*	*1*
FERNANDA – Malas e artigos de viagem	*1*	*VIRTUAL – Informática*	*3*

Indique o piso e a loja aonde deve dirigir-se para comprar os seguintes artigos.

Artigo	Piso	Loja
1. uma televisão	*Piso 3*	*AUDIVÍDEO*
2. uma garrafa de vinho		
3. uma blusa (senhora)		
4. um carrinho de brincar		
5. um sofá		
6. uma carteira		
7. um casaco (homem)		
8. um frigorífico		
9. um fato de treino		
10. um fatinho de bebé		
11. um computador		

Escreva um diálogo entre um(a) cliente e um(a) empregado(a) no centro comercial da cidade.

_____

_____

_____

_____

_____

_____

_____

_____

_____

_____

_____

_____

_____

_____

COMPRAS V

Quantidades e recipientes

Complete as frases com as palavras deste quadro.

pares	hectares	*pacote*
caixa	gramas	maço
quilo	latas	dúzia
litros	frasco	

1 — Fui à farmácia comprar um ___*pacote*___ de lenços e um _____ de champô.

2 — Hoje comprei dois _____ de sapatos.

3 — Vou ao supermercado buscar três _____ de leite.

4 — Esta propriedade tem mais de 450 _____ .

5 — Podes ir ao quiosque comprar-me um _____ de cigarros e uma _____ de fósforos?

6 — Queria um _____ de batatas, se faz favor.

7 — Podes trazer do supermercado três _____ de sardinhas de conserva?

8 — Queria uma _____ de aspirina®, se faz favor.

9 — Podes trazer uma _____ de ovos do supermercado?

10 — Queria duzentos _____ de fiambre, se faz favor.

Responda às perguntas de acordo com as imagens. Assinale com um X a resposta certa.

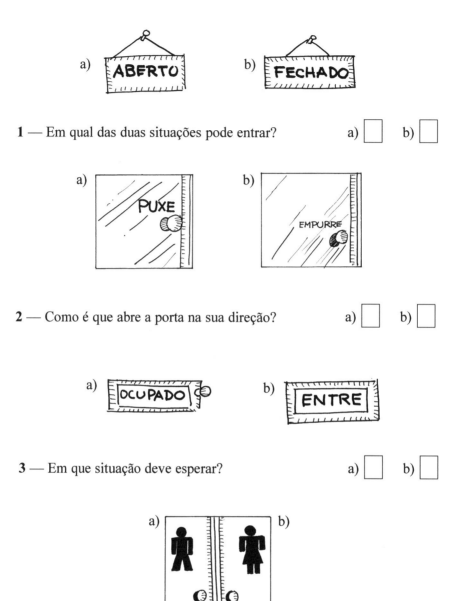

a) ABERTO   b) FECHADO

1 — Em qual das duas situações pode entrar?   a) ☐   b) ☐

a) PUXE   b) EMPURRE

2 — Como é que abre a porta na sua direção?   a) ☐   b) ☐

a) OCUPADO   b) ENTRE

3 — Em que situação deve esperar?   a) ☐   b) ☐

a)   b)

4 — A que casa de banho deve ir a sua filha?   a) ☐   b) ☐

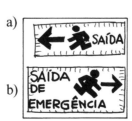

a) ← SAÍDA
b) SAÍDA DE EMERGÊNCIA →

5 — Que porta deve escolher em caso de incêndio?   a) ☐   b) ☐

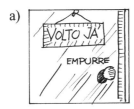

6 — Qual dos avisos indica que a máquina está avariada?   a) ☐   b) ☐

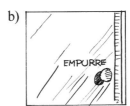

7 — Em que situação pode entrar?   a) ☐   b) ☐

8 — Qual dos avisos está colocado junto de um rio?   a) ☐   b) ☐

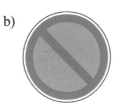

9 — Em que situação pode parar o carro por muito pouco tempo?   a) ☐   b) ☐

a)
```
É
FAVOR
PAGAR
AQUI
```

b)
```
É
FAVOR
ESPERAR
AQUI
```

10 — Qual dos avisos está situado junto de uma caixa?   a) ☐   b) ☐

Veja as imagens e faça o primeiro exercício da página seguinte.

1.	2.	3.	4.	5.	6.
7.	8.	9.	10.	11.	12.
13.	14.	15.	16.	17.	18.
19.	20.	21.	22.	23.	24.
25.	26.	27.	28.	29.	30.
31.	32.	33.			

Escreva o número adequado à frente da palavra, de acordo com as imagens da página 72.

anel	*28*	meias		camisa	
colar		sutiã		*t-shirt*	
blusa		luvas		vestido	
gravata		colete		fato de banho	
chapéu		calções		camisola	
boné		pijama		pulôver	
sandálias		relógio		casaco	
sapatos		cinto		fato	
blusão		guarda-chuva		sobretudo	
joia		saia		cuecas	
brincos		calças		gabardina	

Palavras e expressões úteis		
– Posso experimentar?	**Materiais**	**Qualificativos para a roupa**
– Pode experimentar ali na cabina de provas.	– seda	– bonito
– Não tem o tamanho a seguir?	– linho	– giro (familiar)
– Que número veste / calça?	– lã	– engraçado
– Os sapatos servem-lhe?	– algodão	– feio
– Está apertado.	– flanela	– original
– Não me servem.	– malha	– moderno
		– antiquado
		– fora de moda
		– está na moda

VESTUÁRIO II

Complete as frases com os verbos *vestir*, *vestir-se*, *andar*, *trazer* e *usar*.
Faça as transformações necessárias.

1 — A mãe da Joana _____ duma forma muito elegante.

2 — A Luísa _____ sempre roupa muito leve.

3 — O Pedro, decididamente, não sabe _____! Tem mesmo mau gosto!

4 — O Dr. Simões _____ com muito bom gosto.

5 — Eu nunca _____ suspensórios.

6 — Os jovens _____ geralmente duma forma muito semelhante.

7 — Eles _____ sempre com calças de ganga e *T-shirts*.

8 — A Ana consegue lavar-se, _____ e tomar o pequeno-almoço em meia hora.

9 — Tu costumas _____ com luvas no inverno?

10 — Hoje ela _____ uma saia azul e uma blusa cor-de-rosa.

VESTUÁRIO III

Escreva um pequeno texto sobre a forma como está hoje vestido(a).

_____

_____

_____

_____

_____

_____

_____

_____

_____

VESTUÁRIO IV

Imagine um diálogo numa loja de roupa entre o(a) cliente e um(a) empregado(a).

_____

_____

_____

_____

_____

_____

_____

_____

_____

_____

_____

_____

_____

_____

_____

_____

Alimentos genéricos

Frutas e legumes

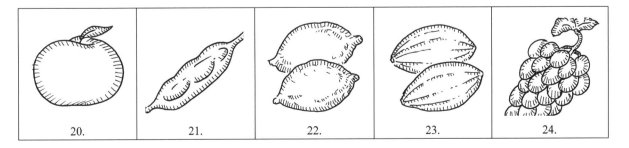

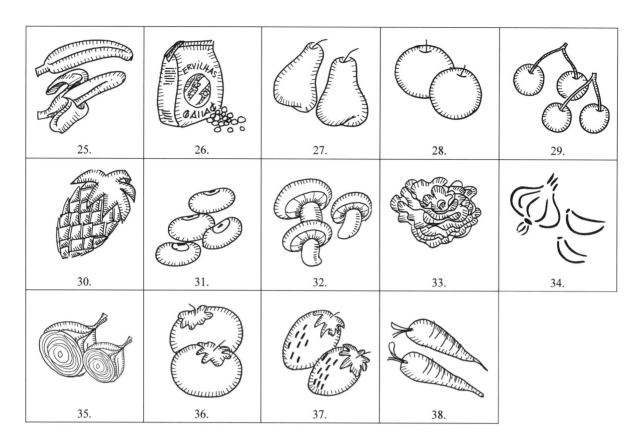

25.	26.	27.	28.	29.
30.	31.	32.	33.	34.
35.	36.	37.	38.	

Bebidas

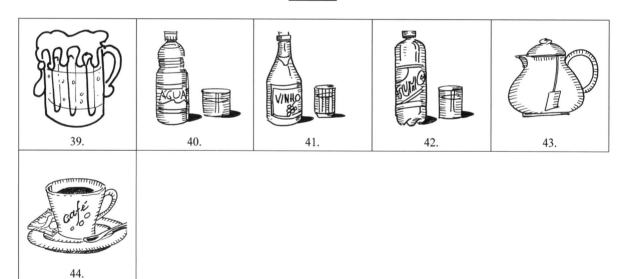

39.	40.	41.	42.	43.
44.				

Espaços

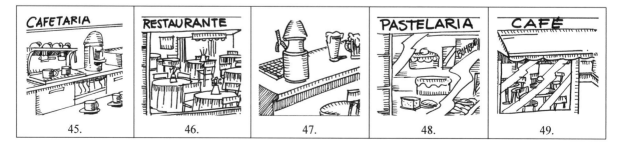

45.	46.	47.	48.	49.

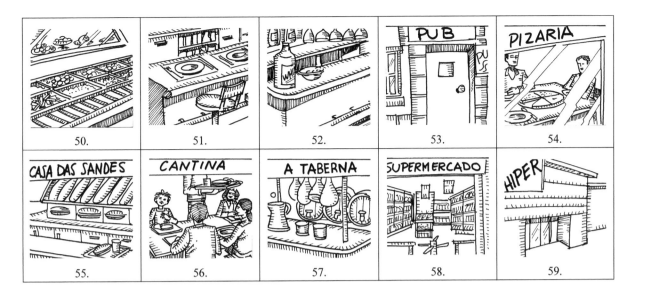

50.   51.   52.   53. PUB   54. PIZARIA

55. CASA DAS SANDES   56. CANTINA   57. A TABERNA   58. SUPERMERCADO   59. HIPER

Escreva o número adequado à frente da palavra de acordo com as imagens.

cerejas	*29*	morangos		presunto	
ananás		alhos		cenouras	
leite		chá		sal	
tomates		vinagre		alface	
feijões		arroz		cantina	
cerveja		manteiga		pão	
vinho		pastelaria		restaurante	
sumo		supermercado		bolachas	
café (bebida)		cogumelos		massa	
cervejaria		peras		cebolas	
limões		azeite		carne	
melões		água		fiambre	
uvas		maçã		chouriços / enchidos	
hipermercado		feijão-verde		bar	
café (local)		*self-service*		taberna	
snack-bar		*pub*		iogurtes	
bananas		pizaria		ervilhas	
pimenta		laranjas		casa de sandes	
cafetaria		peixe		queijo	
chocolate		bacalhau			

Palavras e expressões úteis

Em casa

– as refeições
– tomar o pequeno-almoço: pão / torrada (com manteiga / com marmelada / com doce de morango, de laranja, etc.) / fruta / sumo de laranja / /iogurte / leite com flocos / café com leite
– almoçar / lanchar / jantar
– fazer (preparar) o almoço / o lanche / o jantar
– arranjar qualquer coisa para comer
– provar a comida
– fazer um piquenique
– comer uns petiscos / petiscar
– ter fome / estar com fome / estar cheio de fome (= sede)
– comer como um abade (expressão idiomática) (= comer muito)
– ter apetite / estar com apetite
– comer
– beber um copo de leite / uma cerveja / um copo de vinho
– tomar um café / um chá
– tomar uma bebida
– beber muito / estar / ficar bêbado / ficar com os copos (familiar)
– dar / passar / chegar — "Podes passar-me o pão, se fazes favor?"
– pôr a mesa

Cozinhar

– partir / cortar / bater / juntar / misturar / mexer / / descascar / temperar / grelhar / assar / fritar / / estufar / panar / guisar / fazer um guisado / refogar
– batatas fritas / cozidas / assadas / estufadas / / salteadas
– salada / alface / tomate / azeite / vinagre / cebola / / alho / limão / sal / pimenta / molho / piripiri / ervas aromáticas / orégãos / louro / salsa / / coentros / hortelã / natas

Qualificativos para a alimentação

– salgado / insosso / doce / amargo / azedo / / gorduroso / queimado / estragado / apetitoso / / saboroso / cozido / cru / frio / quente / morno / / a ferver
– bebida natural / fresca / gelada
– saber bem / mal

No restaurante

– restaurante caro / barato / chique / acessível / / simpático / com bom ambiente / / calmo (≠ barulhento)

– o cliente
– a clientela
– aberto (≠ fechado)

– reservar uma mesa
– fazer uma reserva
– mesa livre (≠ ocupada)
– pedir — "Já pediram?"
– tomar um aperitivo / tomar um digestivo
– a ementa
– a conta
– a lista de vinhos
– a entrada / a sopa / o prato / a sobremesa
– uma dose de… / meia dose de…
– dar uma gorjeta

No café

– O que deseja(m)?
– Queria …
– Pode dizer-me quanto devo? / Pode trazer a conta?
– sandes de queijo / tosta mista / sandes de fiambre / / prego no pão / prego no prato / pastel (de bacalhau / de carne) / rissol (de camarão / / de carne)
– uma bica (= um café) / um galão / uma meia de leite / uma imperial (um fino = copo de cerveja de 20 cl) / uma cerveja (em garrafa) / um cálice de Porto / um copo de vinho / uma água mineral com (sem) gás / um sumo

Na pastelaria

– bolo de cenoura / pastel de nata / mil-folhas / / caracol / pastel de carne / rissol / pastel de bacalhau / bolo de noz / de amêndoa / de chocolate / tarte de maçã / tarte de limão

Escreva o número correspondente a cada palavra, de acordo com as imagens.

1. torrada	3. pastel de nata	5. bica	7. tosta mista	9. bolo de cenoura
2. chá	4. imperial	6. sumo	8. sandes de queijo	10. meia de leite

Luís: Queria uma _____ 🥟 (🧀) e uma _____ 🥤 .

Manuel: Eu queria uma _____ ☕ 🥛 e uma _____ 🥪 (🧀 🍞).

Jorge: Eu queria um _____ 🥤 e um _____ 🥧 .

Empregado: E as Senhoras o que desejam?

D. Luísa: Eu queria uma _____ ☕ e um _____ 🥧 (🥕).

D. Joana: Para mim, era um _____ 🫖 e uma _____ 🧈 .

Escreva o número correspondente a cada palavra, de acordo com as imagens.

1. talheres	5. carne	9. batatas	13. azeite
2. guardanapos	6. copo	10. *pratos*	14. garrafa
3. peixe	7. vinagre	11. colher	15. vinho
4. garfo	8. faca	12. bacalhau	16. água

a) Vou pôr a mesa. Podes dizer-me onde estão os _10_ 🍽️ , os _____ 🍴 e os _____ 🧻 ?

b) Então o que vamos comer? _____ 🐟 ou _____ 🥩 ?

c) Podia trazer-me um _____ 🥛 de _____ 🍷 ?

d) Eu vou comer _____ 🐟 assado com 🥔 a murro. Podia trazer _____ 🫒 e _____ 🍶 , se faz favor?

e) O Jorge é tão distraído que põe sempre a _____ 🥄 no sítio do _____ 🍴 e a _____ 🔪 no sítio da _____ 🥄 .

f) Podia trazer-nos uma _____ 🍾 de _____ 🍷 da casa e uma _____ 💧 de _____ 💧 ?

   79

Faça corresponder o início das frases da coluna da esquerda com o respetivo final na coluna da direita. Escreva a letra adequada na coluna do meio.

1. No café, na pastelaria, etc.	*f)*	a) podemos comer uma refeição completa.
2. No restaurante,		b) é uma bebida que podemos tomar antes do almoço ou do jantar.
3. Uma sandes		c) indica os pratos que podemos comer num restaurante.
4. No restaurante *self-service,*		d) é um pão com queijo ou fiambre, etc.
5. Um aperitivo		e) papel onde está escrita a quantia de dinheiro que devemos pagar num café, num restaurante, etc.
6. Uma gorjeta		*f) podemos comer sandes, salgados e bolos.*
7. Uma meia de leite		g) é o nome dado a um café, servido numa chávena pequena, nos cafés, nos restaurantes, etc.
8. A ementa		h) as pessoas têm vários pratos à escolha e servem--se ao balcão com um tabuleiro.
9. Uma bica		i) é o nome dado a um café com leite, servido numa chávena grande, nos cafés, pastelarias, etc.
10. A conta		j) é o dinheiro que damos como gratificação pelo serviço prestado.

Restaurante Estrela d'Ouro
Ementa

Sopas

Canja de galinha .... 1€
Sopa de legumes .... 1€
Caldo-verde... 1,25€

Entradas

Pratinho de presunto c/ azeitonas .... 2,50€
Pratinho variado (rissóis, pastéis de
bacalhau, croquetes)................................... 2,25€
Salada francesa .... 3,75€

Peixe

Amêijoas na cataplana ou à Bulhão Pato... 6,75€
Cherne grelhado.................................... 8,50€/11€
Pargo grelhado .... 8,50€/11€
Robalo grelhado.................................... 8,50€/11€
Filetes de pescada .... 6,25€/9,25€
Arroz de polvo .... 6,25€/9,25€
Bacalhau à Gomes de Sá .... 6,25€/9,25€

Carnes

Lombo de porco assado .... 7,25€/10€
Espetada de vitela na brasa............. 7,75€/10,25€
Costeleta de vitela na tábua .... 8,25€/11€
Entrecosto grelhado .... 8€/11€
Rojões à moda do Minho.................... 7,25€/10€
Bife especial...................................... 11€

Sobremesas

Natas do céu.. 2,25€
Tarte de maçã.. 2,25€
Bolo de laranja..2,25€
Maçã assada .... 1,75€
Fruta da época... P.V.
Salada de fruta .... 2,25€

Vinhos

Verdes Brancos

Alvarinho (Monção – Minho)....................... 15€
Muralhas de Monção (Minho)........................ 8€
Loureiro (Ponte de Lima – Minho) .... 5€

Maduros Brancos

Planalto (Douro) .... 7€
Duas Quintas (Douro)................................... 10€
Borba (Adega Coop. de Borba – Alentejo) .... 7€
Monte Velho (Herdade Esporão – Alentejo) ... 9€

Maduros Tintos

Casa de Saima (Bairrada) .... 8,50€
Casa de Santar (Dão) .... 8,50€
Monte Velho (Herdade Esporão – Alentejo)..... 10€

Vinho da casa

0,75 cl... 3,75€
0,37 cl... 2€

Ementa Turística

Entradas / prato de carne ou de peixe / pão,
cerveja, sumo, água ou vinho (da casa) /
/ sobremesa .... 15€

Nota 1: P.V. – Preço variado.
Nota 2: Quando os pratos têm dois preços, o primeiro corresponde a meia dose e o segundo corresponde a uma dose.

Faça corresponder o início das frases da coluna da esquerda com o respetivo final na coluna da direita. Escreva a letra adequada na coluna do meio.

1. Quando acabamos a refeição, dizemos ao empregado:	*d)*	a) no Minho.
2. Os pratos estão escritos num documento chamado		b) caldo-verde.
3. Em Portugal, antes do prato geralmente come-se		c) imperial.
4. O vinho verde é um vinho geralmente de baixo teor alcoólico produzido		*d) Queria a conta, se faz favor.*
5. O peixe mais consumido em Portugal é		e) meia dose.
6. A sopa de couves com chouriço e azeite chama-se		f) uma gorjeta ao empregado.
7. Um copo de cerveja de pressão com 20 cl chama-se		g) um digestivo.
8. Quando uma pessoa não quer comer muito, pede		h) reservar uma mesa.
9. Quando uma pessoa prevê que o restaurante vai ter muita gente, deve		i) a sopa.
10. Quando o serviço é do meu agrado, dou		j) o bacalhau.
11. Por vezes, no fim de uma boa refeição, tomamos		k) ementa.

NO RESTAURANTE II

Imagine um diálogo, de acordo com a ementa do restaurante *Estrela d'Ouro* entre o empregado e dois clientes que estão na mesma mesa. O diálogo passa-se antes e depois da refeição.

SÓ PARA A AULA

_____

_____

_____

_____

_____

_____

_____

_____

_____

_____

_____

_____

NA CIDADE I

		Posto Turismo		Banco HP	Talho Silva	Café Central		Cabeleireiro Tina		
Correios	Café Sport	Farmácia Cunha	**R U A**	Banco BGE	Livraria Atual	Quiosque Central	**R U A**	Papelaria Sousa	Bar Snob	Papelaria Avenida

AVENIDA   **D A S**   **CENTRAL**   **L U I S**

Câmara Municipal			**R**	Tribunal		Finanças	**D**	Polícia		Banco BJ
Sapataria Mimi	Prò Bebé	Mulher Elegante	**O S A S**	Hotel Justiça	Cinema Avenida	Café Palácio	**E**	Agência VOA		Restaurante Bom Garfo

AVENIDA   **25**   **DE**   **C A M Õ E S**   **ABRIL**

Café Liberdade	Frutaria Soares	Farmácia Costa	Livraria A Página	PARQUE DE S. JOÃO

RUA   **DA**   **ESTAÇÃO**

ESTAÇÃO DE CF

Escreva as perguntas correspondentes a estas respostas de acordo com o mapa.

1 — _____

É ao lado da Farmácia *Costa*.

2 — _____

É entre o Hotel *Justiça* e o Café *Palácio*.

3 — _____

Vai sempre em frente pela Rua das Rosas, atravessa a Avenida 25 de Abril e depois a Rua da Estação.
É mesmo ali ao fundo da Rua das Rosas. Vira à esquerda. Fica mesmo ali em frente à Farmácia *Costa*.

4 — _____

Fica por trás da Câmara Municipal, mesmo ao lado duma sapataria.

5 — _____

Fica mesmo em frente do Tribunal.

6 — _____

Fica na R. Luís de Camões, ao lado do Quiosque *Central*.

7 — _____

Não, não é longe do Parque de S. João. Fica mesmo em frente, ao lado do Restaurante *Bom Garfo*.

8 — _____

Sim, sim. Há um hotel na Av. 25 de Abril. Acho que é o Hotel *Justiça*.

9 — _____

Fica na esquina da R. Luís de Camões e da Av. Central, mesmo em frente da Polícia.

10 — _____

O que fica mais perto do Parque de S. João é o Café *Palácio*.

Faça a correspondência das definições na coluna da esquerda com as palavras da coluna da direita. Escreva a letra correspondente na coluna do meio.

1. É uma estrada com quatro ou mais faixas de rodagem e um separador central.	*g)*	a) avenida
2. É a beira da estrada.		b) cruzamento
3. É uma avenida muito larga com árvores dos lados e mesmo ao meio.		c) rotunda
4. É uma rua muito larga dentro da cidade com duas faixas de cada lado.		d) rua
5. É uma via de circulação fora de localidades.		e) berma
6. É uma rua muito estreita e pequena.		f) estrada
7. É uma praça pequena.		*g) autoestrada*
8. É o sítio onde duas ou mais ruas se cruzam.		h) beco
9. É um caminho público ladeado de casas, árvores ou muros dentro de uma povoação ou cidade.		i) alameda
10. É um largo ou uma praça ampla, de forma circular.		j) praceta

NA CIDADE III

Sinais de trânsito

1.　　2.　　3.　　4.　　5.　　6.

7.　　8.　　9.　　10.　　11.

Escreva o número correspondente de acordo com as imagens.

sentido proibido	*2*	estacionamento proibido		aproximação de rotunda	
aproximação de cruzamento		sentido único		aproximação de estrada / / rua com prioridade	
semáforos		velocidade máxima: 50 km		paragem proibida	
paragem obrigatória		obrigatório virar à direita			

TRANSPORTES

TRANSPORTES I

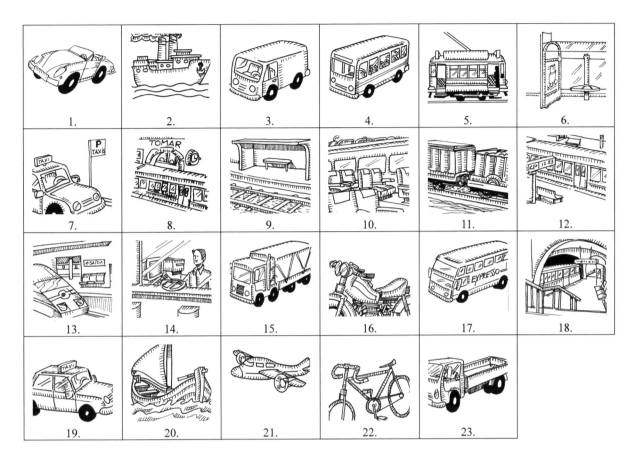

Escreva o número adequado à frente da palavra de acordo com as imagens.

bicicleta	*22*	bilheteira		mota	
comboio de mercadorias		carruagem (de comboio)		camioneta	
carrinha		apeadeiro		metro	
autocarro		paragem de autocarro		táxi	
praça de táxis		avião		elétrico	
barco		camião		comboio suburbano	
comboio rápido		carro		navio	
autocarro / expresso		estação de caminho de ferro			

Palavras e expressões úteis		
– (Não) Gostar de andar de... – Ir a / para o emprego / escola, de...	– carro... – metro... – comboio...	– autocarro... – bicicleta... – mota...
– Apanhar / perder o / a...	– ...metro – ...comboio – ...autocarro	
– (não) gostar de andar... – Ir a / para o emprego / a escola,...	– a pé... – a cavalo... – à boleia...	
O comboio / avião / autocarro parte / chega...	– adiantado... – atrasado... – com um atraso de (10 minutos) / com 10 minutos de atraso... – à tabela...	
– Eu cheguei à estação...	– dez minutos antes da hora de o comboio chegar. – com dez minutos de atraso / 10 minutos depois de o comboio partir.	
– Eu cheguei...	– adiantado – atrasado	– à estação.
– a hora de ponta – a fila de trânsito – o trânsito (denso ≠ descongestionado)	– o engarrafamento – a poluição (sonora / atmosférica)	

TRANSPORTES II

Faça a correspondência dos inícios das frases na coluna da esquerda com o final respetivo na coluna da direita. Escreva a letra correspondente na coluna do meio.

1. Eu não gosto de andar de avião porque	*f)*	a) faz bem à saúde.
2. Andar a pé		b) não é poluente e é saudável.
3. O Jorge adora andar a cavalo, porque		c) gostam da aventura e conhecem outras pessoas.
4. Eu gosto de andar de barco, porque		d) gosta de animais e de andar em liberdade em contacto com a natureza.
5. Geralmente não vou de comboio, porque		e) sofre de claustrofobia.
6. Os jovens gostam muito de andar à boleia, porque		*f) tenho medo de cair.*
7. A bicicleta é o meio de transporte do futuro, porque		g) um incêndio numa floresta.
8. A mota é o meio de transporte mais perigoso, porque		h) é muito rápido e pouco seguro.
9. A Guida não anda de metro, porque		i) não enjoo.
10. O comboio chegou muito atrasado por causa de		j) o comboio chega sempre atrasado.

carro	hora de ponta	engarrafamento
trânsito	emprego	poluição
autocarro	comboio	carros
plataformas	estações	

Complete as frases com as palavras adequadas de acordo com as imagens.

Há muitas pessoas que preferem ir de _carro_ para o [1]_____, mesmo que

estejam horas num [2]_____. Nas cidades, o [3]_____ aumenta todos

os dias. Felizmente, a maioria apanha o [4]_____ ou o [5]_____. Senão, a

[6]_____ seria ainda maior. À [7]_____ às vezes estão centenas de pessoas

nas [8]_____ das [9]_____ e há milhares de [10]_____

nas saídas das cidades.

NA ESTAÇÃO

Expressões úteis	
Na bilheteira – Em que linha está o comboio para o Porto? – Queria um bilhete simples / de ida e volta. – A que horas sai / parte o comboio para Braga? – Qual é o preço do bilhete em classe turística? **Avisos** – O comboio com destino a Lisboa encontra-se na linha 3, 2.ª plataforma. – Vai dar entrada na linha 7 o comboio procedente de Porto--Campanhã. – Atenção à partida do comboio suburbano com destino a Aveiro. – Vai partir da linha 5 o comboio regional com destino ao Porto.	– estação de caminho de ferro – a plataforma – a linha – a CP (Comboios de Portugal) – o comboio de passageiros / de mercadorias – o vagão

Horário

Comboios ALFA Pendular/Intercidades de LISBOA - SANTA APOLÓNIA/LISBOA - PRAGAL (SUL) para PORTO - CAMPANHÃ e BRAGA								
	AP	**AI**	**AI**	**AP**	**AP**	**AI**	**AP**	**AI**
LISBOA - PRAGAL (SUL)	06:30							
LISBOA - ENTRECAMPOS	06:46		---	---	---	---	---	---
LISBOA - SANTA APOLÓNIA	---	07:50	---	---	---	---	---	---
LISBOA - ORIENTE	07:00	08:00	10:50	13:50	16:50	17:50	18:50	19:50
SANTARÉM	---	08:42	11:00	14:00	17:00	18:00	19:00	20:00
ENTRONCAMENTO	---	09:01	11:42	---	---	---	---	20:42
POMBAL	---	09:37	12:01	---	---	19:37	---	---
COIMBRA-B	09:02	10:09	12:37	---	---	20:09	---	21:37
AVEIRO	09:37	10:40	13:09	16:02	19:02	20:40	21:02	22:09
OVAR	---	---	13:40	16:37	19:37	20:57	21:37	22:40
ESPINHO	---	11:07	---	---	---	21:07	---	---
GAIA	10:15	11:20	14:07	---	---	21:20	---	23:07
PORTO - CAMPANHÃ	10:20	11:40	14:20	17:15	20:15	21:40	22:15	23:20
TROFA	---	12:04	14:25	17:20	20:20	22:04	22:20	23:25
FAMALICÃO	---	12:15	---	---	---	22:15	---	---
NINE	---	12:22	---	---	---	22:22	---	---
BRAGA	---	12:40	---	---	---	22:40	---	---
Observações	[1]	[2]	[2]	[2]	[2]	[2]	[3]	[2]

Observações: Reserva obrigatória de lugares; [1] Exceto sábados, domingos e feriados oficiais; [2] Diário; [3] Exceto sábados.

Complete o diálogo, na bilheteira da estação de Lisboa-Oriente, de acordo com o horário.

Passageiro: (1)_____

Funcionária da CP: Bom dia, faça favor?

Passageiro: (2)_____

Funcionária da CP: Amanhã, como é sábado, não tem esse comboio. Por isso, tem de ir no das 8h00.

Passageiro: (3)_____

Funcionária da CP: Para em todas as estações exceto Ovar.

Passageiro: (4)_____

Funcionária da CP: Sim, sim, pode comprar de ida e volta.

Passageiro: (5)_____

Funcionária da CP: Para o Porto. Muito bem. O Senhor deseja ir em classe conforto ou turística?

Passageiro: (6)_____

Funcionária da CP: Ora, é um bilhete de ida e volta, para amanhã, para o Porto, em classe turística, para o intercidades.

Passageiro: (7)_____

Funcionária da CP: São 49,50€.

Passageiro: (8)_____

Funcionária da CP: Sim, sim. Pode pagar com cartão Multibanco.

Passageiro: (9)_____

Funcionária da CP: Bom dia. Obrigado, nós.

 **NA ESTAÇÃO II**

Imagine um diálogo, na bilheteira da estação de Campanhã, entre um passageiro e uma funcionária da CP, com base no horário (pág. 88) e no quadro das expressões úteis (pág. 87).

SÓ PARA A AULA

_____

_____

_____

_____

_____

_____

_____

_____

_____

_____

_____

_____

_____

_____

_____

_____

_____

_____

_____

_____

_____

_____

_____

_____

_____

_____

_____

_____

_____

_____

_____

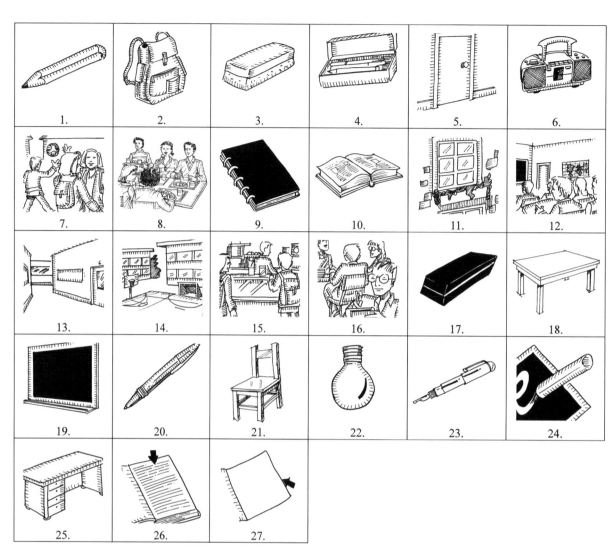

Escreva o número adequado à frente da palavra de acordo com as imagens.

borracha	18	apagador		quadro (preto)	
mesa		lápis		esferográfica	
recreio		mochila		bar	
caderno		cantina		sala de professores	
sala de aula		lâmpada		livro	
leitor de CD		caneta		janela	
campo de jogos		giz		folha	
corredor		secretária		estojo	
cadeira		porta		página	

Palavras e expressões úteis	
– matricular-se / fazer a matrícula – inscrever-se num curso – preencher a ficha de inscrição / boletim de inscrição – pagar as propinas – funcionário dos serviços administrativos – fazer um requerimento – pedir uma bolsa de estudo – fazer um curso / a licenciatura (3 anos) / o mestrado (5 anos) / o doutoramento – disciplina / cadeira (linguagem informal) – disciplina semestral / anual	– a turma – colega de turma – professor / aluno (até ao 12.º ano) – professor / estudante (Universidade) – ir à biblioteca – consultar um livro – requisitar um livro – cartão de leitor

NA ESCOLA II

Complete as perguntas e respostas seguintes, de acordo com o exemplo.

Ex.: De quem é o *livro de Português*?
É do Pedro.

1— De quem é _____ ?

— _____

2— De quem é a _____ ?

— _____

3— De quem é o _____ ?

— _____

4— De quem é o _____ ?

— _____

5— De quem são as _____ ?

— _____

CORES

preto / preta / pretos / pretas	●	branco / branca / brancos / brancas	○
vermelho / vermelha / vermelhos / vermelhas	●	roxo / roxa / roxos / roxas	●
amarelo / amarela / amarelos / amarelas	○	castanho / castanha / castanhos / castanhas	●
cinzento / cinzenta / cinzentos / cinzentas	●	azul / azuis	●
verde / verdes	●	cor-de-rosa	●
cor de laranja	●	bege	○

NA ESCOLA III

Cores

Complete as perguntas e respostas de acordo com o exemplo.

Ex: De que cor é a mesa da sala?
A mesa da sala é vermelha.

1 — De que cor _____

_____

2 — _____

_____

3 — _____ da Joana?

_____

4 — De que cor são _____

_____

5 — _____

_____ do Pedro _____

6 — _____ da Teresa?

_____

7 — _____

_____ da Marta _____

8 — _____

_____ do Joaquim _____

9 — _____

_____

10 — _____

_____

NA ESCOLA IV

Faça corresponder os inícios das frases da coluna da esquerda com as palavras da coluna da direita. Escreva a letra adequada na coluna do meio.

1. Quando um estudante não tem muito dinheiro para fazer os estudos, pede uma	*d)*	a) funcionário(a) administrativo.
2. Para fazer a inscrição num curso, é preciso fazer uma		b) professor(a).
3. Uma pessoa que trabalha numa secretaria é um(a)		c) disciplinas.
4. Uma pessoa que frequenta um curso superior é um		*d) bolsa de estudo.*
5. Uma criança que anda numa escola do 1.º ciclo é um(a)		e) estudante.
6. As várias matérias de ensino chamam-se		f) propina.
7. Numa biblioteca, só podemos requisitar um livro com um		g) mestrado.
8. O pagamento anual de um curso chama-se		h) cartão de leitor.
9. O grau de estudos depois da licenciatura é o		i) matrícula.
10. Uma pessoa que dá aulas chama-se		j) aluno(a).

EM CASA I

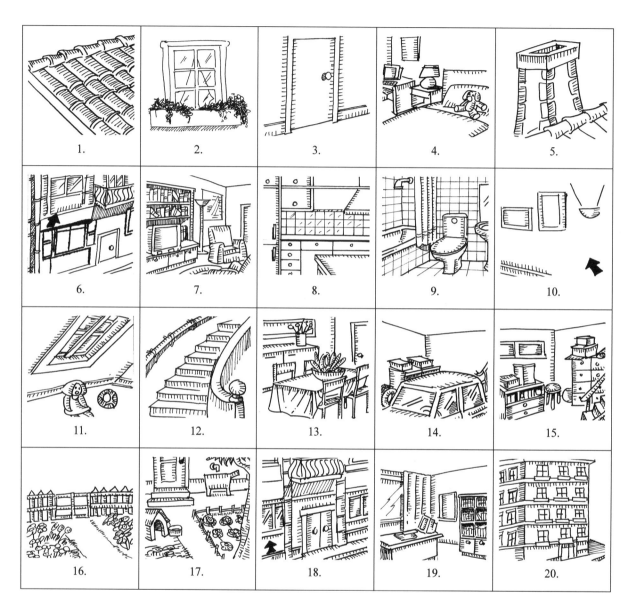

Escreva o número adequado à frente da palavra, de acordo com as imagens.

jardim	*16*	primeiro andar		telhado	
janela		sala de estar		sótão	
porta		chaminé		cozinha	
garagem		quarto		casa de banho	
cave		quintal		parede	
rés do chão		escadas		prédio	
escritório		sala de jantar			

Palavras e expressões úteis	
– arranjar casa (= encontrar uma casa) – andar à procura de casa – arrendar uma casa – Conhece alguma casa para alugar? – pagar a renda da casa – senhorio (proprietário da casa alugada) – inquilino (pessoa que arrenda a casa) – pagar a prestação da casa (ao banco) – casa / moradia / vivenda – apartamento	**Qualificativos para a casa** – cara – nova – barata – recente – grande – luxuosa – pequena – feia – espaçosa – acolhedora – excelente – sossegada – bem / mal concebida – barulhenta – velha – arrumada – antiga – desarrumada

EM CASA II

Faça corresponder as palavras da coluna da esquerda com as frases da coluna da direita.

Escreva a letra adequada na coluna do meio.

1. Moradia	*j)*	a) É a parte de trás da casa onde se podem plantar legumes e árvores de fruto.
2. Apartamento		b) É o dono de uma casa ou apartamento arrendado.
3. Assoalhada		c) É um apartamento com dois quartos e uma sala.
4. Adega		d) É a parte mais alta da casa imediatamente abaixo do telhado.
5. T2		e) É um gabinete de trabalho.
6. Senhorio		f) É uma zona da casa fria e húmida, abaixo do solo, onde se guarda o vinho.
7. Cave		g) É uma pequena casa integrada num prédio.
8. Sótão		h) É a parte da casa que fica debaixo do solo.
9. Quintal		i) É uma divisão da casa com soalho (a sala e os quartos).
10. Escritório		*j) É uma casa independente com muitas divisões, jardim e quintal.*

MORADIA

Vende-se moradia a 15 km a norte de Lisboa, com dois pisos, cinco quartos, três WC, duas salas, cozinha, garagem, jardim e piscina. Espetacular vista de campo. Bom estado de conservação. Preço: 225 mil euros.

TM: 968 560 214

A

Edifício D. Pedro

Apartamentos de ótima qualidade

T3 com estacionamento

Pavimentos em madeira de carvalho
Cozinha totalmente equipada
Casa de banho em mármore
de Estremoz • Banheira de
hidromassagem
Estores elétricos
Vidros duplos
Ar condicionado
(sala e quartos)
Videoporteiro • TV Cabo
Visite-nos:
Av. 25 de Abril, 752
Tel: 215 898 656

B

APARTAMENTOS EXPO

Prontos a habitar: T2, T3, T4 – T3 e T4 duplex – duas / três casas de banho – um, dois ou três estacionamentos por fração. Boas áreas. Terraços e arrecadações. C/ vista p/ o Tejo. Desde 204.000€.

C

MOINHO

Sala c/ lareira, WC, três quartos, cozinha ampla, adega, terraço, água, luz, alarme. Quintal com árvores. Poço com água para rega. Ericeira. Vende-se – melhor oferta.

D

Assinale com uma cruz as frases verdadeiras ou falsas, de acordo com os anúncios A, B e C.

	V	F
1. O anúncio A é relativo a uma vivenda perto de Lisboa.	X	
2. A casa do anúncio A tem quatro casas de banho.		
3. Da casa do anúncio A, pode desfrutar-se de uma bela paisagem rural.		
4. A casa do anúncio A custa menos de duzentos e cinquenta mil euros.		
5. A casa do anúncio A precisa de grandes obras.		
6. As casas do anúncio B são apartamentos de três assoalhadas.		
7. Os apartamentos do anúncio B não têm porteiro.		
8. As casas de banho dos apartamentos do anúncio B são revestidas a tijoleira.		
9. Os apartamentos do anúncio B não têm aquecimento central.		
10. Os apartamentos anunciados no documento C ficam perto do rio.		
11. Os apartamentos do anúncio C podem ser habitados imediatamente.		
12. O anúncio C divulga apartamentos de três e quatro assoalhadas com dois pisos.		
13. Os apartamentos do anúncio C têm mais do que uma casa de banho.		
14. Os apartamentos do anúncio C têm zonas para arrumações.		
15. Os apartamentos do anúncio C não custam menos de duzentos e cinquenta mil euros.		

EM CASA IV

Com base no anúncio D, escreva um diálogo entre o vendedor e um jovem casal interessado na casa.

_____

_____

_____

_____

_____

_____

_____

_____

_____

_____

_____

_____

_____

_____

_____

_____

_____

_____

EM CASA V

Escreva um pequeno texto descritivo sobre a sua casa / o seu apartamento.

_____

_____

_____

_____

_____

_____

_____

_____

_____

_____

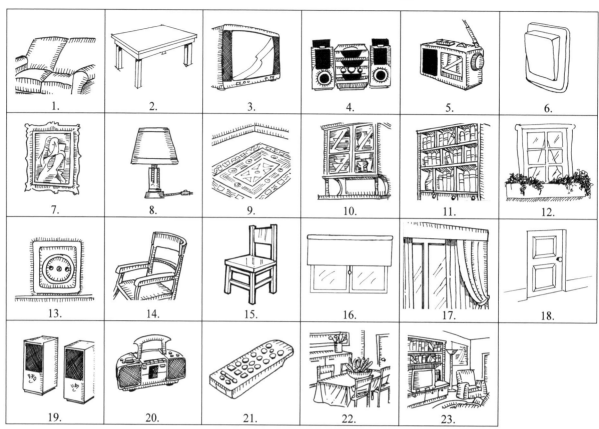

Escreva o número adequado à frente da palavra de acordo com as imagens.

cortinado	*17*	estante		carpete	
porta		janela		louceiro	
telecomando		sala de jantar		sofá	
interruptor (elétrico)		leitor de CD		mesa	
quadro		aparelhagem de som		televisão	
candeeiro		sala de estar		rádio	
colunas de som		cadeira de braços		tomada (elétrica)	
cadeira		estore			

NA SALA II

Escolha as palavras ou expressões corretas.

Exemplo:

1 — À noite, para ler, o melhor é:

a) abrir as cortinas.

b) ligar a luz.

c) pôr a mesa.

X

2 — Para descansar, o melhor é sentar-se:

a) no sofá.

b) na mesa.

c) na cadeira.

3 — Para ver outro canal de televisão, usa-se o:

a) telefone.

b) telemóvel.

c) telecomando.

4 — Geralmente, os livros encontram-se na:

a) mesa.

b) estante.

c) cadeira.

5 — Uma cadeira onde se podem sentar duas ou três pessoas é:

a) um sofá.

b) uma cadeira de braços.

c) uma cadeira de baloiço.

6 — Uma peça de mobília que serve para tomar as refeições é:

a) a cadeira.

b) a mesa.

c) o louceiro.

7 — O louceiro serve para:

a) arrumar a louça.

b) limpar a louça.

c) partir a louça.

8 — Para ligar e desligar a luz, usa-se:

a) a tomada elétrica.

b) a ficha elétrica.

c) o interruptor elétrico.

9 — Para ouvir música, ligamos:

a) a máquina de lavar a louça.

b) a aparelhagem de som.

c) a luz.

10 — A toalha põe-se:

        a) em cima da mesa.

        b) em cima da cama.

        c) no chão.

11 — A carpete põe-se:

        a) em cima da mesa.

        b) em cima da cama.

        c) no chão.

NA SALA III

Escreva um pequeno texto descritivo sobre a sua sala.

SÓ PARA A AULA

_____

_____

_____

_____

_____

_____

_____

_____

_____

_____

_____

_____

_____

NO QUARTO I

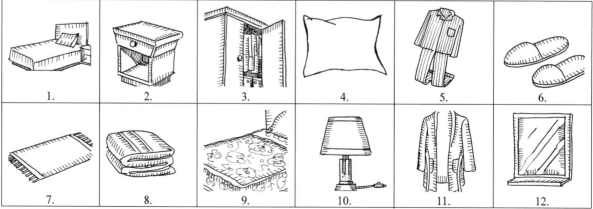

1.	2.	3.	4.	5.	6.
7.	8.	9.	10.	11.	12.

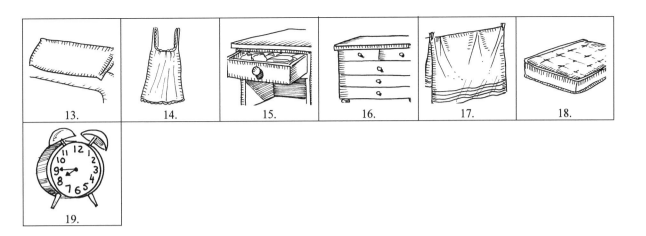

Escreva o número adequado à frente da palavra de acordo com as imagens.

lençol	*17*	cobertor		chinelos	
mesa de cabeceira		roupão		guarda-roupa	
pijama		colchão		espelho	
camisa de noite		candeeiro		almofada	
despertador		travesseiro		tapete	
cómoda		cama		gaveta	
colcha					

NO QUARTO II

Faça corresponder o início da frase da coluna da esquerda com o respetivo final na coluna da direita. Escreva a letra adequada na coluna do meio.

1. O travesseiro é	*i)*	a) ponho os chinelos debaixo da cama.
2. Na cómoda		b) gosto de ter vários cobertores na cama.
3. No guarda-roupa		c) faço sempre a cama.
4. Quando me deito		d) por cima da cama.
5. Na mesa de cabeceira		e) guardo os lençóis e os cobertores.
6. Para a cabeça,		f) é vestir o roupão.
7. Como sou friorento,		g) guardo as camisas, as calças e os casacos.
8. Antes de sair de casa,		h) cinco gavetas grandes e três pequenas.
9. Tenho sempre uma colcha bonita		i) gosto de uma almofada alta.
10. A primeira coisa que faço de manhã		*j) uma espécie de almofada comprida onde pomos a cabeça para dormir.*
11. A minha cómoda tem		k) guardo o livro que ando a ler.

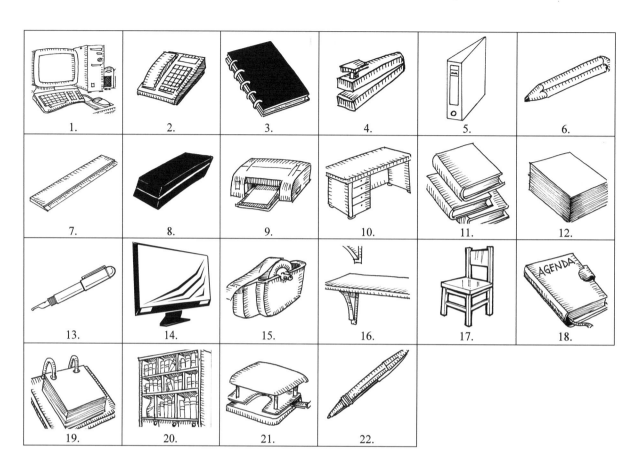

Escreva o número adequado à frente da palavra, de acordo com as imagens.

resma de papel	12	impressora		agenda	
caneta		secretária		furador	
livros		telefone		estante	
lápis		borracha		prateleira	
régua		bloco		fita-cola	
caderno		agrafador		computador	
esferográfica		cadeira		dossiê	
monitor					

NO ESCRITÓRIO II

Faça corresponder o início da frase da coluna da esquerda com o respetivo final na coluna da direita. Escreva a letra adequada na coluna do meio.

1. Para escrever um texto,	*k)*	a) agrafar folhas.
2. Para os livros, dossiês, CD, DVD, é preciso ter		b) apagar coisas escritas a lápis.
3. O agrafador serve para		c) imprimir um documento feito no computador.
4. Para guardar os documentos, eu utilizo		d) iluminar convenientemente o espaço de trabalho.
5. A impressora serve para		e) resma de papel.
6. O computador portátil serve para		f) pôr papéis e outros objetos que já não têm utilidade.
7. O candeeiro de mesa serve para		g) um dossiê.
8. Quando não há papel na impressora, tenho de comprar outra		h) um furador.
9. O caixote do lixo serve para		i) uma boa estante
10. A borracha serve para		j) substituir um computador fixo.
11. Quando quero furar folhas para arquivar num dossiê, utilizo		*k) utilizo o computador, uma esferográfica, um lápis e papel.*

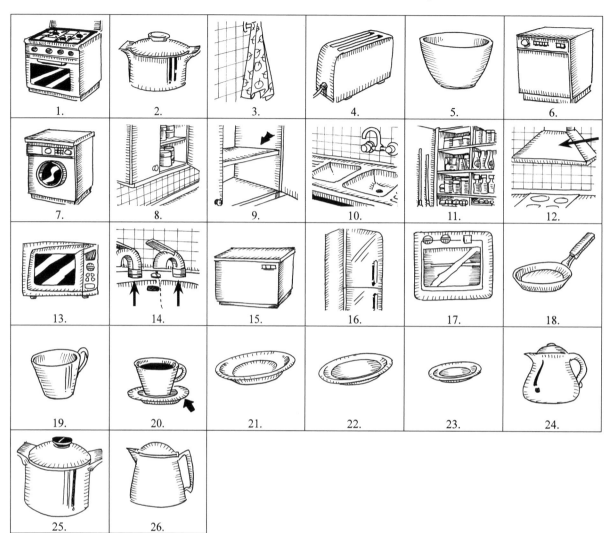

Escreva o número adequado à frente da palavra de acordo com as imagens.

bule	*24*	lava-louça		frigideira	
tacho		prateleira		chávena	
pires		torneiras		micro-ondas	
torradeira		prato de sopa		prato raso	
arca frigorífica		prato de sobremesa		frigorífico	
armário		pano da louça		exaustor	
máquina de lavar a roupa		máquina de lavar a louça		fogão	
forno		tigela		despensa	
panela		cafeteira ou chaleira			

Faça corresponder o início da frase da coluna da esquerda com o respetivo final na coluna da direita. Escreva a letra adequada na coluna do meio.

1. A frigideira serve para	f)	a) no lava-louça ou na máquina.
2. A louça é lavada		b) conservar os alimentos.
3. Para limpar a louça		c) aquecer rapidamente os alimentos.
4. O frigorífico serve para		d) assar os alimentos.
5. O exaustor serve para		e) servir o chá.
6. O micro-ondas serve para		f) *fritar os alimentos.*
7. O forno serve para		g) guardar os alimentos.
8. O prato de sopa		h) é mais fundo do que o prato raso.
9. O bule serve para		i) tirar os cheiros da cozinha.
10. A despensa serve para		j) eu gosto de o torrar na torradeira.
11. Quando o pão não é fresco,		k) usa-se um pano.

Complete as frases com as palavras adequadas. Nem todas as palavras são utilizadas.

chaleira	esfregão	talheres	prato(s) de sopa	tacho	pimenta
frigideira	vinho	panela	guardanapos	copo	faca
água	bule	*azeite*	batatas	toalha	prato(s) raso(s)
peixe	pão	sal	torradeira	chá	copos
bife	carne	ervas aromáticas	*ovo*	forno	detergente
colher	garfo				*óleo*

1 — Para fazer um ovo estrelado, eu preciso de uma *frigideira*, um *ovo* e *azeite* ou *óleo*.

2 — Para fazer um bife grelhado, eu preciso de _____

3 — Para fazer chá, eu preciso de _____

4 — Para cozer peixe, eu preciso de _____

5 — Para comer, eu preciso de _____

6 — Para pôr a mesa, eu preciso de _____

7 — Para fazer torradas, eu preciso de _____

8 — Para lavar a louça, eu preciso de _____

9 — Para fazer batatas fritas, eu preciso de _____

10 — Para fazer carne assada, eu preciso de _____

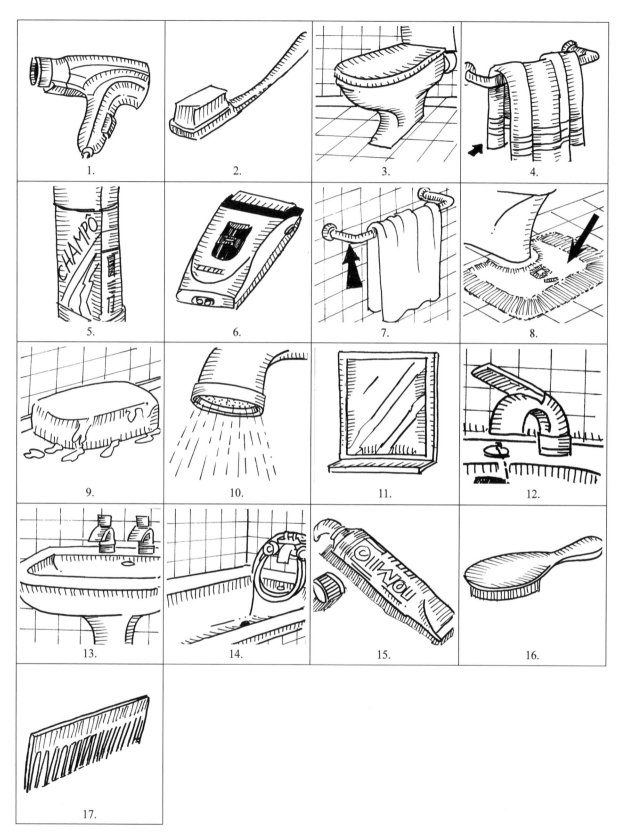

Escreva o número adequado à frente da palavra de acordo com as imagens.

banheira	*14*	toalheiro		retrete / sanita	
lavatório		tapete		champô	
torneira		chuveiro		toalha	
espelho		pasta de dentes		sabonete	
máquina de barbear		secador de cabelo		escova de dentes	
escova de cabelo		pente			

NA CASA DE BANHO II

Complete as frases com as palavras adequadas.

sabonete	toalha
corta-unhas	máquina de barbear
escova de cabelo	chuveiro
champô	pente
pasta de dentes	lavatório
escova de dentes	*secador*

1 — Para secar o cabelo, eu uso um _____*secador*_____.

2 — Para tomar banho, eu uso o _____.

3 — Para lavar a cara, eu uso o _____.

4 — Para me limpar depois de tomar banho, eu uso uma _____.

5 — Para lavar as mãos, eu uso um _____.

6 — Para lavar os dentes, eu uso uma _____ e uma _____.

7 — Para fazer a barba, eu uso uma _____.

8 — Para pentear o cabelo, uso um _____ ou uma _____.

9 — Para lavar a cabeça, eu uso um _____.

10 — Para cortar as unhas, eu preciso de um _____.

NO BANCO I

Escreva o número adequado à frente da palavra de acordo com as imagens.

nota de 5€	7	moeda		caixa	
nota de 50€		nota de 20€		nota de 100€	
nota de 10€		cartão de crédito		livro de cheques	
cheque		fila		balcão	

Expressões úteis	
– abrir uma conta à ordem / poupança – pedir um extrato de conta – levantar dinheiro (≠ depositar dinheiro) – levantar dinheiro no Multibanco / numa caixa Multibanco – pedir um empréstimo ao banco – fazer uma transferência bancária – requisitar um livro de cheques – poupar dinheiro (≠ gastar dinheiro) – abrir uma conta "Poupança Habitação" – trocar / cambiar dinheiro	– Queria saber o saldo, por favor. – Qual é a taxa de juro? – Que quantia deseja depositar?

NO BANCO II

Ordene as frases deste diálogo no banco.

Cliente:	Primeiro, queria saber como posso abrir uma conta?	
Cliente:	Por acaso, até precisava de comprar casa…	
Cliente:	Objetivo?	
Empregado:	Com certeza.	
Empregado:	Em função do montante que prevê que custará a casa e do montante de que dispõe mensalmente para colocar nessa conta, decide qual vai ser o montante mensal.	
Empregado:	Então, aí está exatamente aquilo de que necessita.	
Cliente:	Mas como é que funciona?	
Empregado:	Uma conta simples ou com algum objetivo?	
Cliente:	Acho que vou abrir uma conta dessas. Posso começar com 250€ por mês?	
Cliente:	*Bom dia.*	*1*
Empregado:	Sim, por exemplo, se quer comprar uma casa, temos uma Conta Poupança Habitação com juros muito baixos que é verdadeiramente aliciante.	
Empregado:	Bom dia. O que deseja?	

NO CORREIO I

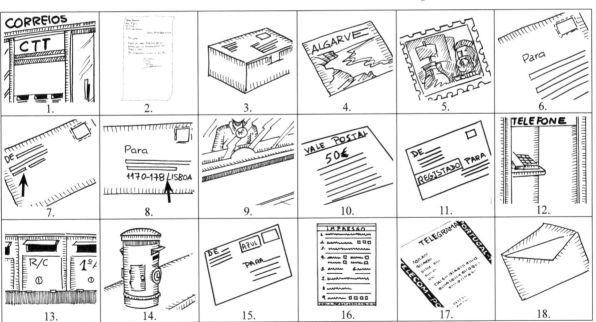

Escreva o número adequado à frente da palavra de acordo com as imagens.

código postal	*8*	telegrama		caixa de correio	
vale postal		correio azul		encomenda	
carta registada		telefone		estação de correios	
selo		marco de correio		carta	
remetente		postal ilustrado		guiché	
envelope		destinatário		impresso	

Expressões úteis
– Pode dizer-me onde são os Correios? – Queria mandar uma carta registada, se faz favor. – Queria mandar uma carta com aviso de receção. – Queria um selo para a Europa, se faz favor. – Queria um envelope almofadado, se faz favor.

NO CORREIO II

Faça corresponder a parte inicial das frases da coluna da esquerda ao respetivo final da coluna da direita. Escreva a letra adequada na coluna do meio.

1. Marco de correio	*b)*	a) é um documento que formaliza o envio de dinheiro por correio.
2. Caixa de correio		*b) é um recipiente cilíndrico que existe nas cidades destinado à colocação da correspondência.*
3. Destinatário		c) é o número correspondente a uma localidade.
4. Remetente		d) é um pagamento extra pelo envio de uma carta de maior responsabilidade.
5. Encomenda		e) é o nome da pessoa, instituição ou empresa que envia a correspondência.
6. Guiché		f) é uma caixa que contém materiais que uma pessoa envia a outra, ou a uma instituição ou empresa.
7. Correio azul		g) é o nome da pessoa, instituição ou empresa a quem é dirigida a correspondência.
8. Código postal		h) é um tipo de envio mais rápido do que o correio normal.
9. Vale postal		i) é o local aonde a pessoa se dirige e onde se encontra um funcionário.
10. Carta registada		j) é o recipiente existente na estação de correios, ou na casa das pessoas, destinada à colocação da correspondência.

CARTA

Carta informal		Carta formal	
Abertura		**Abertura**	Exmo. Senhor: / Exma. Senhora:
Cara Ana,	Distante.		Presidente do Camões,
Cara amiga,	Distante.		Instituto da Cooperação e
Ana e Pedro,	Distante.		da Língua, I.P.
			Avenida da Liberdade, 270
		Lisboa, 4 de setembro	1250-149 Lisboa
		de 2017	Portugal
Ana,	Distante.	a) Assunto: Pedido de Bolsa	
Olá, Ana!	Próximo.	Venho solicitar a V. Ex.ª se digne	
Querida Ana,	Muito próximo.	conceder-me uma bolsa de estudo a fim de	
Querida amiga,	Muito próximo.	poder realizar um Curso de Férias de Português	
Meu amor,	Muito íntimo.	para Estrangeiros na Faculdade de Letras da	
Minha querida,	Muito íntimo.	Universidade de Lisboa.	
Meu querido,	Muito íntimo.	…	
		---	
		b) Assunto: Envio de documentação	
		Venho enviar a V. Ex.ª a	
		documentação relativa ao processo de …	

		Assunto: Informação	
		Venho dar conhecimento a V. Ex.ª da	
		reunião…	
Fecho		**Fecho**	
Um abraço,	Relativamente próximo.	a) Sem outro assunto, apresento a V. Ex.ª os	
Com um abraço,	Relativamente próximo.	meus melhores cumprimentos.	
Muitos beijinhos,	Muito próximo.	b) Grato pela atenção dispensada, apresento…	
Um beijinho,	Muito próximo.	c) Aguardando uma resposta, apresento…	
Um beijo,	Muito íntimo.	d) Subscrevo-me com os melhores	
		cumprimentos,	
		e) Com os (meus/nossos) melhores	
		cumprimentos,	

Envelope informal	Envelope formal
Luísa Torres *Rua Eça de Queirós, 78, 8.º Esq.* *4000-520 Porto*	Luísa Maria Soares Torres Rua Eça de Queirós, 78, 8.º Esq. 4000-520 Porto
Margarida Pereira *Av. 25 de Abril, 45 - 2.º Dto* *3810-188 Aveiro*	Exma. Senhora: D. Margarida Maria Lopes Pereira Av. 25 de Abril, 45 - 2.º Dto 3810-118 Aveiro

Escreva uma carta ao diretor da empresa *SÓCONSTRÓI* a informá-lo da entrega do material e a pedir-lhe desculpa pelo atraso. Escreva também o envelope.

Escreva uma carta a um(a) amigo(a) a perguntar-lhe como estão a decorrer as férias
e a contar-lhe pormenores das suas férias. Escreva também o envelope.

O TELEFONE I

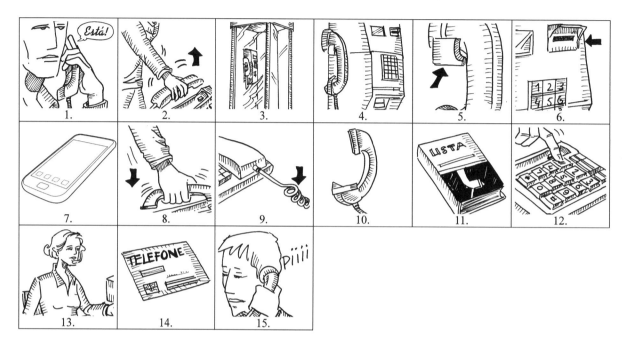

Escreva o número adequado à frente da palavra de acordo com as imagens.

desligar / pousar o auscultador		marcar o número		telefone	
fio		telefonista		descanso	
auscultador	*10*	ranhura		cartão de telefone	
lista telefónica		levantar o auscultador		atender o telefone	
sinal		cabina telefónica		telemóvel	

Palavras e expressões úteis	
Expressões frequentes	**Como iniciar a conversa ao telefone?**
– fazer uma chamada – fazer um telefonema – chamada local – chamada internacional – passar o telefone a outra pessoa – atender a chamada – mandar um SMS	– Posso ligar para o João? – Posso falar com o Sr. Torres? – Está? É de casa do Luís Palmeira? – Sou / É o Fernando Braga. – Está? Quem fala? – (Daqui) Fala Leonor Pedras.
Tentativas	**Como dar sequência à conversa**
– Ninguém atende. – Está a chamar. – O telefone está ocupado. – A chamada foi cortada. – Caiu a ligação. – Deixar uma mensagem de voz. – Não tenho rede. – Fiquei sem bateria.	– Vou passar a chamada. – Vou já ligar. – Vou fazer a ligação. Só um momento. – Vou já chamá-lo. – Não desligue. Vou ver se ela está. – Só um momento. Vou mandar chamá-lo.

O TELEFONE II

Ordene este diálogo ao telefone.

	Dra. Ana Vitorino:	Às quatro e meia. Está bem?
	Secretária:	Pode-me dizer quem deseja falar com ela?
	Dra. Ana Vitorino:	Até amanhã.
	Dra. Ana Vitorino:	Sr. João Nunes? Olá, como está?
	Secretária:	Está, sim? Sr. Nunes? Vou passar à Dra. Ana Vitorino. Só um momento.
	João Nunes:	Obrigado.
	Secretária:	Está? Sra. Dra.? O Sr. João Nunes deseja falar com a Sra. Dra. Passo a chamada?
	Secretária:	Com certeza. Só um momento.
1	João Nunes:	*Bom dia. Queria falar com a Dra. Ana Vitorino.*
	Dra. Ana Vitorino:	Pode passar a chamada.
	João Nunes:	João Nunes, um cliente.
	João Nunes:	Exatamente. Amanhã entregamos o trabalho. A que horas pode ser?
	João Nunes:	Bem, obrigado. E a Sra. Dra.?
	João Nunes:	Está muito bem. Então, até amanhã.
	Dra. Ana Vitorino:	Bem, obrigada. Penso que está a ligar por causa da entrega do trabalho, não é?

Telefonema informal

Expressões úteis	
– Quem fala?	– Até logo e obrigado.
– Então, até logo.	– Eu volto a ligar daqui a uma hora.
– Ah! Olá, Jorge.	– Quem deseja falar com ele?
– Queres deixar um recado?	– Está, sim?
– É o Jorge.	
– Daqui a uma hora, mais ou menos.	

Complete este diálogo ao telefone com as frases do quadro.

Jorge: (1)_____

Ana: Está? (2)_____

Jorge: O Paulo está?

Ana: Não está, não. (3)_____

Jorge: (4)_____

Ana: (5)_____ Não estava a conhecer a voz…

Jorge: Sabes a que horas é que ele volta para casa?

Ana: (6)_____ (7)_____

Jorge: Podes dizer ao Paulo que eu liguei? (8)_____

Ana: Está bem. (9)_____

Jorge: (10)_____

Telefonema formal

Complete este diálogo ao telefone na Agência de Viagens _SOLTOUR_.

SOLTOUR: _SOLTOUR,_ bom dia.

Nuno Rocha: (1) ___*Bom dia.*_____

SOLTOUR: Com certeza. Para Paris, tem vários voos durante o dia. Tem preferência por uma hora?

Nuno Rocha: (2) _____

SOLTOUR: De manhã, vou ver. Só um momento. Em que dia quer partir?

Nuno Rocha: (3) _____

SOLTOUR: No dia 5, para Paris, tem um voo da TAP às 8h30 e outro às 10h30.

Nuno Rocha: (4) _____

SOLTOUR: Muito bem, às 8h30. E em que dia deseja regressar?

Nuno Rocha: (5) _____

SOLTOUR: Dia 13. Muito bem. Tem preferência de horário?

Nuno Rocha: (6) _____

SOLTOUR: Ora, à tarde. Vou ver o que posso arranjar…

SOLTOUR: Tem um voo às 20h00. Está bem?

Nuno Rocha: (7) _____

SOLTOUR: São 265€.

Nuno Rocha: (8) _____

SOLTOUR: Convém estar no aeroporto uma hora e meia antes.

Nuno Rocha: (9) _____

SOLTOUR: Muito bem. Então, até amanhã.

Nuno Rocha: (10)_____

SOLTOUR: Obrigado, nós.

O TELEFONE V

Cabina telefónica

Complete as frases de acordo com as imagens.

Antes de falar...

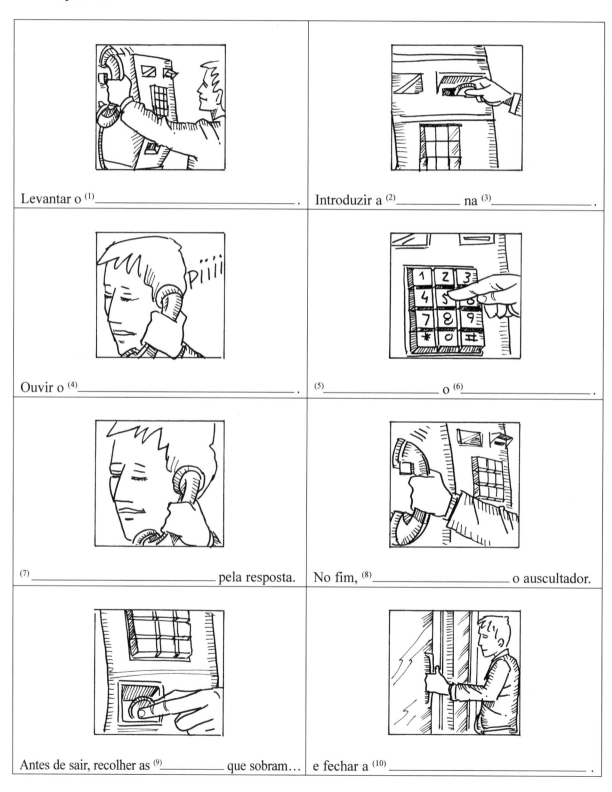

Levantar o [1]_____ .

Introduzir a [2]_____ na [3]_____ .

Ouvir o [4]_____ .

[5]_____ o [6]_____ .

[7]_____ pela resposta.

No fim, [8]_____ o auscultador.

Antes de sair, recolher as [9]_____ que sobram...

e fechar a [10]_____ .

Faça corresponder as frases da coluna da esquerda com as palavras da coluna da direita.
Escreva a letra adequada na coluna do meio.

1. Superfície lisa sobre a qual se projetam as imagens e os dados contidos no disco ou recebidos do exterior.	*j)*	a) colunas
2. Pequeno botão que corresponde a uma letra, um número ou outro símbolo.		b) computador portátil
3. Computador de dimensões reduzidas que pode transportar-se com facilidade.		c) rato
4. Pequenas caixas através das quais se pode transmitir o som emitido por um computador ou por uma aparelhagem áudio ou vídeo.		d) CD-ROM
5. Meio de comunicação baseado no envio e receção de mensagens através de uma rede de computadores.		e) computador fixo
6. Disco ótico compacto com uma razoável capacidade de armazenamento de dados.		f) DVD
7. Caixa que contém os discos e os circuitos integrados que permitem o trabalho com um programa informático.		g) correio eletrónico
8. Superfície onde estão colocadas as teclas.		h) tecla
9. Pequena peça que se manipula com a mão e através da qual se pode atuar no programa informático.		i) teclado
10. Disco que serve para armazenar grandes quantidades de memória (filmes, músicas, dados, etc.).		*j) ecrã*

O AUTOMÓVEL

Expressões úteis	
– meter gasolina – encher / atestar o depósito – arrumar o carro na garagem – estacionar o carro – tirar a carta de condução – ser multado	– Queria ver a pressão dos pneus. – Podia ver a pressão dos pneus? – Tive um furo. Podia trocar o pneu? – Tenho de levar o carro à revisão dos 15.000 km.

O AUTOMÓVEL I

Faça corresponder as frases da coluna da esquerda com as da coluna da direita. Escreva a letra adequada na coluna do meio.

1. Espécie de cadeira estofada onde se sentam os passageiros.	*o)*	a) faróis
2. Pequeno espelho que permite ao condutor ver para trás do seu carro.		b) para-choques
3. Luzes colocadas na parte exterior do carro, à frente e atrás, que permitem a condução noturna ou em condições de má visibilidade.		c) jante
4. Sistema que permite alterar a velocidade do carro.		d) matrícula
5. Roda preta que serve para conduzir o veículo.		e) cinto de segurança
6. Roda preta de borracha que faz deslizar o carro. Existem quatro nos automóveis ligeiros.		f) limpa-vidros
7. Correia que serve para proteger os passageiros do carro no caso de eventuais travagens bruscas ou choques.		g) direção
8. Pedal que permite parar o carro.		h) para-brisas
9. Número de identificação do carro que está colocado no exterior, na parte da frente e na parte de trás do carro.		i) volante
10. Superfície de plástico ou metal que serve para proteger o carro de choques mais ligeiros.		j) espelho retrovisor
11. Janela do carro.		k) pneu
12. Sistema que orienta a direção que se quer dar ao carro.		l) travão
13. Proteção em metal ou noutro material que sustenta o pneu.		m) vidro
14. Borrachas que servem para limpar os vidros da frente e de trás do carro.		n) caixa de velocidades
15. Proteção de vidro, colocada na parte dianteira do automóvel, que permite uma boa visibilidade e protege contra a ação do ar.	*o) banco*	

Complete este anúncio com as palavras do quadro.

dianteiros	limpa-vidros
direção	volante
jantes	*ar*
retrovisores	bancos
faróis	traseiros
rádio / leitor	

Equipamento:

(1) **_Ar_** Condicionado

ABS

Duplo *Airbag*

(2) _____ de CD

Bancos (3) _____ e (4) _____ com comando elétrico

(5) _____ com comando elétrico

(6) _____ desportivos em couro e tecido

(7) _____ em couro

(8) _____ assistida

(9) _____ automático

(10) _____ em liga leve

(11) _____ de nevoeiro

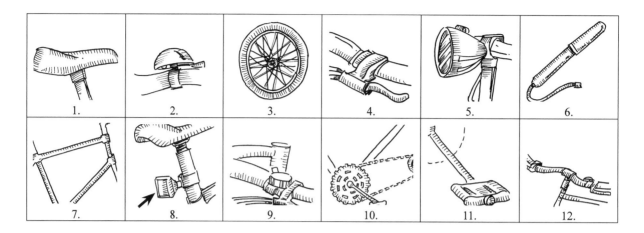

Escreva o número adequado à frente da palavra de acordo com as imagens.

volante	*12*	bomba		campainha	
corrente		travão		farol da frente	
farolim traseiro		pneu		quadro	
mudanças		selim		pedal	

A BICICLETA II

Complete este regulamento da BUGA (Bicicleta de Utilização Gratuita de Aveiro) com as palavras do quadro.

sinal	obrigatório	crime
proibido	pedonais	transportar
veículo	atos	cuidado
circular	pistas	sinais
desmontar	danificar	bicicleta
sinalizados		

(1)

Regras básicas de utilização da BUGA

- É ___**proibido**___ o uso a menores de 16 anos exceto se autorizados.
- É (1)_____ repor o (2)_____ num parque próprio.
- A (3)_____ só pode (4)_____ com a moeda de 1€ inserida na respetiva ranhura.
- É proibido ultrapassar o (5)_____ de "Fim da área BUGA".
- É obrigatório respeitar todos os (6)_____ existentes, nomeadamente:
  - (7)_____ e (8)_____ a BUGA à mão nos locais (9)_____.
  - Circular com (10)_____ suplementar nas zonas (11)_____.
  - Circular nas (12)_____ quando elas existem.
- É proibido (13)_____, reter ou roubar a BUGA. Qualquer um destes (14)_____ é considerado (15)_____ e punido por lei.

---

(1) Fotocópia (a preto e branco) da capa do Regulamento da BUGA, edição da Câmara Municipal de Aveiro.

tesoura	machado
pá	chave de parafusos
martelo	alicate
saca-rolhas	serrote
agulha	enxada

Complete as frases com as palavras do quadro.

1 — Podes trazer-me o ___*martelo*___ para pregar este prego?

2 — Podes cortar esta folha com essa _____?

3 — Tenho de ir buscar o _____ para tirar este prego da parede.

4 — Vamos escavar aqui com a _____ grande para ver se encontramos a pedra aqui enterrada.

5 — Que aborrecimento! Não tenho _____ e não posso desapertar este parafuso.

6 — Com este magnífico _____ vamos conseguir rachar a lenha toda hoje!

7 — Ajudas-me a serrar a tábua com esse _____ amarelo?

8 — Queria abrir esta garrafa mas não tenho _____.

9 — Quando era pequeno, não sabia enfiar uma _____.

10 — Preciso de uma _____ para cavar esta terra.

FORMAS E VOLUMES

Complete as frases seguintes com as palavras adequadas de acordo com as imagens.

Este ___*retângulo*___ ☐ tem os lados (1)_____ | | mais pequenos do que os lados

(2)_____ ___ .

Este (3)_____ ◻ tem uma linha entre o (4)_____ ✳ e o

(5)_____ ◻ superior esquerdo.

Aqui temos um (6)_____ . ┼

Estas três linhas são (7)_____ . ☰

O (8)_____ ◯ que está no (9)_____ ✳ deste (10)_____ ☐ é

mais pequeno do que o que está no (11)_____ ☐ inferior direito.

O Jorge tem papagaios de vários formatos: (12)_____ , (13)_____ ;

(14)_____ △ e (15)_____ .

As caixas de embrulhos desta loja têm formas variadas: algumas têm a forma de um

(16)_____ △ , outras têm a forma de um (17)_____ mas também há

algumas mais vulgares com a forma de um (18)_____ .

SOLUÇÕES DOS EXERCÍCIOS

IDENTIFICAÇÃO I (Pág. 13)

1 — h)
2 — i)
3 — g)
4 — a)
5 — b)
6 — j)
7 — c)
8 — d)
9 — e)
10 — f)

IDENTIFICAÇÃO II (Pág. 14)

Nome (próprio) – ANTÓNIO
Apelido – SOUSA LIMA
Data de nascimento – 2 / 4 / 1959
Local de nascimento – PORTO
Nacionalidade – PORTUGUESA
Habilitações académicas – LICENCIATURA EM ENGENHARIA CIVIL
Profissão – ENGENHEIRO CIVIL
Estado civil – CASADO
Morada – RUA CAMILO CASTELO BRANCO
N.º / Lote / Andar – 87, 3.º Dto.
Código postal – 4800-021
Cidade – GUIMARÃES
Telefone (fixo) – 253 458 796
Telemóvel – 964 513 208
E-mail – aslima@gmail.com

FORMAS DE SAUDAÇÃO I (Pág. 16)

Este diálogo é informal.
Ei
Pedro.
Como é que vai isso?
Tudo bem, pá.
E tu?
Tudo fixe!
vais?
Queres vir?
Desculpa

FORMAS DE SAUDAÇÃO II (Pág. 17)

(1) — a Senhora
(2) — obrigada
(3) — a Senhora
(4) — Vai-se indo
(5) — gripe
(6) — na nossa idade
(7) — melhoras
(8) — Cumprimentos
(9) — igualmente
(10) — obrigada

FORMAS DE SAUDAÇÃO E DESPEDIDA (Pág. 17)

1 — f)
2 — g)
3 — i)
4 — a)
5 — b)
6 — j)
7 — d)
8 — c)
9 — h)
10 — e)

FORMAS DE APRESENTAÇÃO I (Pág. 19)

6
5
9
7
2
8
3
10
4
1

FORMAS DE APRESENTAÇÃO II (Pág. 19)

(1) — Como estás?
(2) — Estou bem.
(3) — Não, não conheço.
(4) — Margarida, este é o João.
(5) — Olá, eu sou a Margarida.
(6) — Olá, tudo bem? Sou o João.
(7) — António, ainda estás em Ciências?
(8) — Estás a gostar?
(9) — E tu? Ainda estás em Filosofia?
(10) — Tu também andas na Faculdade de Ciências?

A FAMÍLIA I (Pág. 21)

1 — prima
2 — irmãos
3 — irmãs
4 — filho
5 — avó
6 — tios
7 — sobrinhas
8 — pais
9 — bisnetos
10 — avós

DESCRIÇÃO DE PESSOAS I (Pág. 23)

1 — feio
2 — bonita
3 — cabelo louro
4 — cabelo liso
5 — cabelo comprido
6 — cabelo encaracolado
7 — cabelo ondulado
8 — gordo
9 — forte
10 — baixo
11 — alto
12 — magra
13 — atraente
14 — elegante
15 — bigode
16 — barba
17 — morena
18 — olhos castanhos
19 — olhos azuis
20 — olhos pretos
21 — olhos verdes

DESCRIÇÃO DE PESSOAS II (Pág. 24)

1 — f)
2 — k)
3 — a)
4 — g)
5 — b)
6 — c)
7 — e)
8 — d)
9 — h)
10 — i)
11 — j)

ESTADOS FÍSICOS / SENSAÇÕES / SENTIMENTOS I (Pág. 25)

1 — estar triste
2 — estar contente
3 — estar cansado
4 — estar surpreendido
5 — estar doente
6 — chorar
7 — estar com calor
8 — estar com frio
9 — rir

ESTADOS FÍSICOS / SENSAÇÕES / SENTIMENTOS II (Pág. 26)

1 — c)
2 — g)
3 — k)
4 — a)
5 — b)
6 — h)
7 — j)
8 — d)
9 — e)
10 — f)
11 — i)

CORPO HUMANO I (Pág. 27)

1 — corpo
2 — cabeça
3 — cara
4 — ombro
5 — pescoço
6 — peito
7 — barriga
8 — cotovelo
9 — braço
10 — mão
11 — perna
12 — joelho
13 — pé
14 — cabelo
15 — olhos
16 — nariz
17 — boca
18 — orelha
19 — costas
20 — tronco
21 — dedos

CORPO HUMANO II (Pág. 28)

(1) — cabeça
(2) — tronco
(3) — cabelo
(4) — nariz
(5) — ouvidos
(6) — visão
(7) — olhos
(8) — boca
(9) — dentes
(10) — braços
(11) — dedos
(12) — coração
(13) — sangue
(14) — pernas
(15) — pés

SAÚDE E DOENÇA I (Pág. 29)

1 — ter dores de cabeça
2 — ter dores de dentes
3 — ter dores de barriga
4 — ter tosse
5 — espirrar
6 — ter febre
7 — estar constipado
8 — cortar-se
9 — ambulância
10 — hospital

SAÚDE E DOENÇA II (Pág. 30)

1 — i)
2 — g)
3 — h)
4 — k)
5 — c)
6 — d)
7 — e)
8 — a)
9 — f)
10 — b)
11 — j)

SAÚDE E DOENÇA III (Pág. 31)

1 — a)
2 — b)
3 — c)
4 — a)
5 — c)
6 — b)
7 — c)
8 — a)
9 — c)
10 — c)

CALENDÁRIO I
AS ESTAÇÕES DO ANO
(Pág. 33)

a) primavera
b) verão
c) outono
d) inverno

CALENDÁRIO II
OS MESES DO ANO
(Pág. 34)

janeiro
fevereiro
março
abril
maio
junho
julho
agosto
setembro
outubro
novembro
dezembro

CALENDÁRIO III
OS DIAS DA SEMANA
(Pág. 35)

12 — segunda-feira
13 — terça-feira
14 — quarta-feira
15 — quinta-feira
16 — sexta-feira
17 — sábado
18 — domingo

CALENDÁRIO IV (Pág. 35)

(1) — dezembro
(2) — março
(3) — Chove
(4) — neva
(5) — frio
(6) — primavera
(7) — março
(8) — junho
(9) — árvores
(10) — folhas
(11) — flores
(12) — pássaros
(13) — verão
(14) — calor
(15) — praia
(16) — campo
(17) — outono
(18) — árvores
(19) — folhas
(20) — amarelas
(21) — castanhas
(22) — vento

HORAS (Pág. 37)

1 — *São três horas. / São quinze horas.*
2 — São três e um quarto. / São quinze e quinze.
3 — São seis menos um quarto. / São dezassete e quarenta e cinco. / São cinco e quarenta e cinco.
4 — São dez e meia. / São dez e trinta.
5 — É uma hora. / São treze horas.
6 — É meio-dia. / São doze horas.
7 — É meia-noite. / São zero horas.
8 — É uma e meia. / É uma e trinta. / São treze e trinta.
9 — É meio-dia e meia. / São doze e trinta.
10 — São sete menos vinte. / São dezoito e quarenta.
11 — São oito e vinte e cinco. / São vinte e vinte e cinco.
12 — nove e meia
13 — oito
14 — quatro
15 — à uma menos um quarto / às doze e quarenta e cinco

CALENDÁRIO, HORAS, DIAS DA SEMANA I (Pág. 38)

1 — É na terça-feira, às nove horas da noite.
2 — Faço anos no dia 21 de dezembro.
3 — O meu irmão faz anos no dia 5 de fevereiro.
4 — (Moro em Lisboa) Há 12 anos.
5 — (A primavera) Começa no dia 21 de março e acaba no dia 21 de junho.
6 — (O mês de janeiro) Tem 31 dias.
7 — (O telejornal) Começa à uma hora da tarde.
8 — Tenho ginástica à(s) terça(s) e quinta(s), das seis e meia às sete e meia da tarde.
9 — Tenho natação à(s) quarta(s) e sexta(s), das três às quatro.
10 — (Não temos aulas de Português) À(s) segunda(s), quarta(s) e sexta(s), ao(s) sábado(s) e domingo(s).

CALENDÁRIO, HORAS, DIAS DA SEMANA II (Pág. 39)

A Joana tem aula de Italiano à segunda e à quarta, das seis às oito. À terça-feira e à quinta-feira, tem natação do meio-dia à uma. À sexta-feira, à uma hora, almoça em casa da avó. No próximo sábado, às oito horas (da tarde), vai à festa de anos da Sílvia, uma amiga dela. E no domingo, às quatro, vai ao teatro com o Pedro.

O TEMPO I (Pág. 40)

1 — *está a nevar*
2 — está a chover
3 — calor
4 — frio
5 — trovejar
6 — vento
7 — nevoeiro
8 — nublado / encoberto
9 — bom

O TEMPO II (Pág. 41)

a) — 2/10
b) — 4
c) — 1/8
d) — 7
e) — 1/8
f) — 4/9
g) — 6
h) — 3
i) — 5/10
j) — 2/10

O TEMPO III (Pág. 42)

(1) — gelo
(2) — húmida
(3) — seco
(4) — relâmpago
(5) — trovão
(6) — granizo
(7) — arrefecimento
(8) — tempestades de neve
(9) — negativas
(10) — boletim meteorológico

O TEMPO IV (Pág. 43)

1 — *V*
2 — F
3 — V
4 — V
5 — V
6 — V
7 — V
8 — F
9 — F
10 — V

UM DIA NA VIDA DE... I (Pág. 45)

a) — 17
b) — 8
c) — 12
d) — 14
e) — 19
f) — 6
g) — 13
h) — 2
i) — 9
j) — 16
k) — 20
l) — 3
m) — 7
n) — 4
o) — 15
p) — 10
q) — *1*
r) — 18
s) — 5
t) — 11

UM DIA NA VIDA DE... II (Pág. 46)

1 — *c*
2 — c
3 — c
4 — a
5 — c
6 — a
7 — b
8 — a
9 — b
10 — c

UM DIA NA VIDA DE... III (Pág. 48)

(1) — cama
(2) — casa de banho
(3) — Toma um duche
(4) — veste-se
(5) — cozinha
(6) — pequeno-almoço
(7) — café
(8) — leite
(9) — pão
(10) — manteiga
(11) — nove menos um quarto
(12) — autocarro n.º 58
(13) — restaurante
(14) — rua
(15) — carne
(16) — peixe
(17) — salada
(18) — vinho
(19) — água
(20) — cerveja

EMPREGOS I (Pág. 49)

1 — mecânico	16 — engenheiro civil
2 — arquiteto	17 — médica
3 — ator	18 — comerciante
4 — técnico de informática	19 — hospedeira
5 — motorista	20 — jornalista
6 — carpinteiro	21 — funcionária
7 — cabeleireira	22 — carteiro
8 — juiz	23 — professor
9 — escritor	24 — vendedor
10 — polícia	25 — investigador
11 — secretária	26 — estudante
12 — gestora	27 — advogado
13 — eletricista	28 — escultor
14 — enfermeira	29 — pedreiro
15 — estilista	

EMPREGOS II (Pág. 50)

1 — g)
2 — k)
3 — i)
4 — b)
5 — j)
6 — a)
7 — f)
8 — d)
9 — e)
10 — h)
11 — c)

EMPREGOS III (Pág. 51)

1 — V
2 — F
3 — V
4 — V
5 — F
6 — F
7 — V
8 — F
9 — F
10 — V
11 — V
12 — F
13 — V
14 — V
15 — V

TEMPOS LIVRES I (Pág. 53)

1 — jogar xadrez
2 — fazer malha
3 — passear à beira-mar
4 — jogar às cartas
5 — fazer ioga
6 — passear no campo
7 — tocar piano
8 — ler
9 — ouvir música
10 — tocar viola
11 — ir ao cinema
12 — ver televisão
13 — fazer / praticar desporto
14 — ir ao teatro
15 — andar a pé

TEMPOS LIVRES II (Pág. 55)

1 — i)
2 — a)
3 — h)
4 — j)
5 — f)
6 — k)
7 — b)
8 — e)
9 — d)
10 — g)
11 — c)

DESPORTOS I

Modalidades desportivas (Pág. 57)

1 — futebol	16 — esqui
2 — futebol de salão	17 — ténis
3 — hóquei em patins	18 — judo
4 — boxe	19 — badminton
5 — andebol	20 — windsurf
6 — atletismo	21 — voleibol
7 — vela	22 — parapente
8 — karaté	23 — canoagem
9 — râguebi	24 — BTT
10 — skate	25 — natação
11 — patinagem	26 — escalada
12 — basquetebol	27 — pingue-pongue
13 — ginástica	28 — hipismo
14 — remo	29 — surf
15 — ciclismo	30 — polo-aquático

Espaços e equipamentos desportivos (Pág. 58)

1 — piscina	10 — bola de futebol
2 — estádio	11 — luvas de boxe
3 — court de ténis	12 — fato de banho
4 — pista de atletismo	13 — esquis
5 — campo de futebol	14 — chuteiras
6 — rinque de patinagem	15 — stick
7 — ginásio	16 — ténis / sapatilhas
8 — pavilhão gimnodesportivo	17 — raquete de ténis
9 — relvado	18 — raquete de pingue-pongue

DESPORTOS II (Pág. 59)

1 — pingue-pongue
2 — boxe
3 — remo
4 — atletismo
5 — futebol
6 — hóquei em patins
7 — vela
8 — basquetebol
9 — ciclismo
10 — natação

DESPORTOS III (Pág. 59)

1 — g)
2 — h)
3 — k)
4 — d)
5 — c)
6 — e)
7 — b)
8 — j)
9 — a)
10 — f)
11 — i)

VIAGENS / FÉRIAS I (Pág. 60)

1 — aeroporto
2 — estação
3 — agência de viagens
4 — hotel
5 — parque de campismo
6 — tenda de campismo
7 — turista
8 — guia (pessoa)
9 — *passaporte*
10 — catedral
11 — estátua
12 — máquina de filmar
13 — praia
14 — campo
15 — serra
16 — paisagem
17 — folheto informativo
18 — guia (livro)
19 — máquina fotográfica

VIAGENS / FÉRIAS II (Pág. 61)

1 — *b)*
2 — d)
3 — f)
4 — a)
5 — g)
6 — h)
7 — i)
8 — e)
9 — j)
10 — c)

VIAGENS / FÉRIAS III (Proposta de solução) (Pág. 62)

O João e Ana foram fazer férias no campo. Foram de carro para uma aldeia onde alugaram uma casa muito antiga. Deram passeios na montanha, o João foi à pesca e a Ana tirou fotografias às pessoas da aldeia que eram muito simpáticas. Foram ao café da aldeia e conversaram com os habitantes da aldeia. Também iam tomar banho ao rio. Foram umas férias muito divertidas. Ficaram com tantas saudades das pessoas da aldeia que a Ana escreveu uma carta a agradecer o acolhimento.

NO HOTEL I (Pág. 63)

1 — a receção
2 — o hotel
3 — a mala
4 — o rececionista
5 — a chave
6 — o átrio
7 — o quarto individual
8 — o quarto
9 — o quarto duplo
10 — a piscina
11 — o elevador
12 — a sala de jantar
13 — o empregado
14 — a pousada
15 — a casa de turismo de habitação
16 — a bagagem
17 — as escadas
18 — a conta
19 — o saco
20 — a pensão

NO HOTEL II (Pág. 64)

(1) — Queria um quarto individual.
(2) — Queria um quarto calmo.
(3) — José Soares.
(4) — Quarenta e quatro.
(5) — Rua José Estêvão, 45, 2.º Dto. 3800-054 Aveiro
(6) — 963 211 908
(7) — jmsoares@gmail.com
(8) — Técnico informático.
(9) — Aqui tem a chave do quarto 115.
(10) — Podem levar-me as malas ao quarto?

NO HOTEL III (Pág. 65)

(1) — quarto duplo
(2) — com banho
(3) — vista para o jardim
(4) — televisão
(5) — televisão
(6) — telefone
(7) — primeiro andar
(8) — ficha de cliente
(9) — chave
(10) — empregado
(11) — malas

NO HOTEL IV (Pág. 65)

1 — *h)*
2 — i)
3 — a)
4 — h)
5 — j)
6 — c)
7 — b)
8 — e)
9 — d)
10 — g)
11 — f)

COMPRAS I (Pág. 67)

1 — cabeleireiro
2 — pastelaria
3 — oculista
4 — loja de roupa
5 — *farmácia*
6 — centro comercial
7 — restaurante
8 — fatura
9 — caixa registadora
10 — florista
11 — papelaria
12 — loja de brinquedos
13 — livraria
14 — agência de viagens
15 — talho
16 — ourivesaria
17 — hipermercado
18 — carteira
19 — porta-moedas
20 — recibo
21 — frutaria
22 — supermercado
23 — quiosque
24 — fotógrafo
25 — peixaria
26 — sapataria
27 — drogaria
28 — cheque

COMPRAS II (Pág. 67)

1 — *Cliente*
2 — Cliente
3 — Empregado
4 — Empregado
5 — Empregado
6 — Cliente
7 — Empregado
8 — Cliente
9 — Empregado
10 — Cliente

COMPRAS III (Pág. 68)

1 — *Piso 3 - AUDIVÍDEO*
2 — Piso 1 - *Ovo Dourado*
3 — Piso 1 - *Guida*
4 — Piso 2 - *O Papagaio*
5 — Piso 0 - *Casa Viva*
6 — Piso 1 - *Fernanda*
7 — Piso 2 - *Distinto*
8 — Piso 1 - *Eletrofino*
9 — Piso 3 - *Ativo*
10 — Piso 1 - *Prà Criança*
11 — Piso 3 - *Virtual*

COMPRAS V
(Pág. 69)

1 — *pacote* / frasco
2 — pares
3 — litros
4 — hectares
5 — maço / caixa
6 — quilo
7 — latas
8 — caixa
9 — dúzia
10 — gramas

AVISOS /LETREIROS
(Pág. 70)

1 — a)
2 — a)
3 — a)
4 — b)
5 — b)
6 — a)
7 — b)
8 — b)
9 — b)
10 — a)

VESTUÁRIO I (Pág. 72)

1 — camisa
2 — *t-shirt*
3 — vestido
4 — blusa
5 — saia
6 — calças
7 — gabardina
8 — camisola
9 — pulôver
10 — casaco
11 — fato
12 — blusão
13 — meias
14 — cuecas
15 — sutiã
16 — colete
17 — calções
18 — fato de banho
19 — pijama
20 — relógio
21 — cinto
22 — sandálias
23 — sapatos
24 — gravata
25 — chapéu
26 — boné
27 — luvas
28 — anel
29 — colar
30 — joia
31 — brincos
32 — guarda-chuva
33 — sobretudo

VESTUÁRIO II
(Pág. 73)

1 — veste-se
2 — usa
3 — vestir-se
4 — veste-se
5 — uso
6 — vestem-se
7 — andam
8 — vestir-se
9 — andar
10 — traz

ALIMENTAÇÃO I (Pág. 77)

1 — queijo
2 — bolachas
3 — fiambre
4 — chouriços / enchidos
5 — arroz
6 — peixe
7 — iogurtes
8 — pão
9 — leite
10 — manteiga
11 — bacalhau
12 — chocolate
13 — presunto
14 — massa
15 — carne
16 — azeite
17 — vinagre
18 — sal
19 — pimenta
20 — maçã
21 — feijão-verde
22 — limões
23 — melões
24 — uvas
25 — bananas
26 — ervilhas
27 — peras
28 — laranjas
29 — cerejas
30 — ananás
31 — feijões
32 — cogumelos
33 — alface
34 — alhos
35 — cebolas
36 — tomates
37 — morangos
38 — cenouras
39 — cerveja
40 — água
41 — vinho
42 — sumo
43 — chá
44 — café (bebida)
45 — cafetaria
46 — restaurante
47 — cervejaria
48 — pastelaria
49 — café (local)
50 — *self-service*
51 — *snack-bar*
52 — bar
53 — *pub*
54 — pizaria
55 — casa de sandes
56 — cantina
57 — taberna
58 — supermercado
59 — hipermercado

ALIMENTAÇÃO II
(Pág. 79)

Luís: 8 / 4
Manuel: 10 / 7
Jorge: 6 / 3
D. Luísa: 5 / 9
D. Joana: 2 / 1

ALIMENTAÇÃO III (Pág. 79)

a) — *10* / 1 / 2
b) — 3 / 5
c) — 6 / 15
d) — 12 / 9 / 13 / 7
e) — 11 / 4 / 8 / 11
f) — 14 / 15 / 14 / 16

ALIMENTAÇÃO IV (Pág. 80)

1 — f)
2 — a)
3 — d)
4 — h)
5 — b)
6 — j)
7 — i)
8 — c)
9 — g)
10 — e)

NO RESTAURANTE I (Pág. 82)

1 — d)
2 — k)
3 — i)
4 — a)
5 — j)
6 — b)
7 — c)
8 — e)
9 — h)
10 — f)
11 — g)

NA CIDADE I (Pág. 83)

1 — Onde é a Livraria *A Página*?
2 — Onde é o Cinema *Avenida*?
3 — Onde fica a Estação de CF?
4 — Onde fica a loja *Prò Bebé*?
5 — Onde fica o Banco *BGE*?
6 — Onde fica o Café *Central*?
7 — A Agência *VOA* é longe do Parque de S. João?
8 — Há um hotel na Av. 25 de Abril?
9 — Onde fica a Papelaria *Sousa*?
10 — Qual é o café que fica mais perto do Parque de S. João?

NA CIDADE II (Pág. 84)

1 — *g)*
2 — e)
3 — i)
4 — a)
5 — f)
6 — h)
7 — j)
8 — b)
9 — d)
10 — c)

NA CIDADE III (Pág. 84)

1 — semáforos
2 — *sentido proibido*
3 — paragem proibida
4 — aproximação de estrada / rua com prioridade
5 — sentido único
6 — velocidade máxima: 50 km
7 — aproximação de rotunda
8 — estacionamento proibido
9 — paragem obrigatória
10 — aproximação de cruzamento
11 — obrigatório virar à direita

TRANSPORTES I (Pág. 85)

1 — carro
2 — navio
3 — carrinha
4 — autocarro
5 — elétrico
6 — paragem de autocarro
7 — praça de táxis
8 — estação de caminho de ferro
9 — apeadeiro
10 — carruagem (de comboio)
11 — comboio de mercadorias
12 — comboio suburbano
13 — comboio rápido
14 — bilheteira
15 — camião
16 — mota
17 — autocarro / expresso
18 — metro
19 — táxi
20 — barco
21 — avião
22 — *bicicleta*
23 — camioneta

TRANSPORTES II (Pág. 86)

1 — *f)*
2 — a)
3 — d)
4 — i)
5 — j)
6 — c)
7 — b)
8 — h)
9 — e)
10 — g)

TRANSPORTES III (Pág. 87)

(1) — emprego
(2) — engarrafamento
(3) — trânsito
(4) — metro
(5) — autocarro
(6) — poluição
(7) — hora de ponta
(8) — plataformas
(9) — estações de caminho de ferro
(10) — carros

NA ESTAÇÃO I (Pág. 88)

(1) — Bom dia.
(2) — Queria um bilhete para o Porto para amanhã às sete horas.
(3) — Em que estações para?
(4) — Posso comprar um bilhete de ida e volta?
(5) — Então queria um bilhete para o Porto.
(6) — Turística. / Em classe turística.
(7) — Qual é o preço?
(8) — Posso pagar com cartão Multibanco?
(9) — Então bom dia e obrigado.

NA ESCOLA I (Pág. 90)

1 — lápis
2 — mochila
3 — apagador
4 — estojo
5 — porta
6 — leitor de CD
7 — recreio
8 — cantina
9 — caderno
10 — livro
11 — janela
12 — sala de aula
13 — corredor
14 — campo de jogos
15 — bar
16 — sala de professores
17 — *borracha*
18 — mesa
19 — quadro (preto)
20 — esferográfica
21 — cadeira
22 — lâmpada
23 — caneta
24 — giz
25 — secretária
26 — página
27 — folha

NA ESCOLA II (Pág. 91)

1 — o caderno
É da Paula.
2 — caneta
É do professor.
3 — lápis
É da Luísa.
4 — caderno
É do Francisco.
5 — esferográficas
São da Paula.

NA ESCOLA III (Pág. 92)

1 — De que cor é o quadro? É branco.
2 — De que cor é o livro de Ciências? É azul.
3 — De que cor é o caderno da Joana? É preto.
4 — De que cor são as portas da sala de aula? São vermelhas.
5 — De que cor é a pasta do Pedro? A pasta do Pedro é castanha.
6 — De que cor é a borracha da Teresa? É amarela.
7 — De que cor é a régua? A régua da Marta é verde-escura.
8 — De que cor é a borracha do Joaquim? A borracha do Joaquim é preta.
9 — De que cor é o dicionário de Grego? É cor-de-rosa.
10 — De que cor são os dois agrafadores? São azuis.

NA ESCOLA IV
(Pág. 93)

1 — d)
2 — i)
3 — a)
4 — e)
5 — j)
6 — c)
7 — h)
8 — f)
9 — g)
10 — b)

EM CASA I (Pág. 94)

1 — telhado
2 — janela
3 — porta
4 — quarto
5 — chaminé
6 — primeiro andar
7 — sala de estar
8 — cozinha
9 — casa de banho
10 — parede
11 — sótão
12 — escadas
13 — sala de jantar
14 — garagem
15 — cave
16 — *jardim*
17 — quintal
18 — rés do chão
19 — escritório
20 — prédio

EM CASA II
(Pág. 95)

1 — j)
2 — g)
3 — i)
4 — f)
5 — c)
6 — b)
7 — h)
8 — d)
9 — a)
10 — e)

EM CASA III
(Pág. 96)

1 — *V*
2 — F
3 — V
4 — V
5 — F
6 — F
7 — V
8 — F
9 — V
10 — V
11 — V
12 — F
13 — V
14 — V
15 — F

NA SALA I (Pág. 98)

1 — sofá
2 — mesa
3 — televisão
4 — aparelhagem de som
5 — rádio
6 — interruptor (elétrico)
7 — quadro
8 — candeeiro
9 — carpete
10 — louceiro
11 — estante
12 — janela
13 — tomada (elétrica)
14 — cadeira de braços
15 — cadeira
16 — estore
17 — *cortinado*
18 — porta
19 — colunas de som
20 — leitor de CD
21 — telecomando
22 — sala de jantar
23 — sala de estar

NA SALA II
(Pág. 98)

1 — b)
2 — a)
3 — c)
4 — b)
5 — a)
6 — b)
7 — a)
8 — c)
9 — b)
10 — a)
11 — c)

NO QUARTO I (Pág. 101)

1 — cama
2 — mesa de cabeceira
3 — guarda-roupa
4 — almofada
5 — pijama
6 — chinelos
7 — tapete
8 — cobertor
9 — colcha
10 — candeeiro
11 — roupão
12 — espelho
13 — travesseiro
14 — camisa de noite
15 — gaveta
16 — cómoda
17 — *lençol*
18 — colchão
19 — despertador

NO QUARTO II
(Pág. 101)

1 — j)
2 — e)
3 — g)
4 — a)
5 — k)
6 — i)
7 — b)
8 — c)
9 — d)
10 — f)
11 — h)

NO ESCRITÓRIO I (Pág. 102)

1 — computador
2 — telefone
3 — caderno
4 — agrafador
5 — dossiê
6 — lápis
7 — régua
8 — borracha
9 — impressora
10 — secretária
11 — livros
12 — *resma de papel*
13 — caneta
14 — monitor
15 — fita-cola
16 — prateleira
17 — cadeira
18 — agenda
19 — bloco
20 — estante
21 — furador
22 — esferográfica

NO ESCRITÓRIO II
(Pág. 103)

1 — k)
2 — i)
3 — a)
4 — g)
5 — c)
6 — j)
7 — d)
8 — e)
9 — f)
10 — b)
11 — h)

NA COZINHA I (Pág. 104)

1 — fogão
2 — tacho
3 — pano da louça
4 — torradeira
5 — tigela
6 — máquina de lavar a louça
7 — máquina de lavar a roupa
8 — armário
9 — prateleira
10 — lava-louça
11 — despensa
12 — exaustor
13 — micro-ondas
14 — torneiras
15 — arca frigorífica
16 — frigorífico
17 — forno
18 — frigideira
19 — chávena
20 — pires
21 — prato de sopa
22 — prato raso
23 — prato de sobremesa
24 — *bule*
25 — panela
26 — cafeteira ou chaleira

NA COZINHA II (Pág. 105)

1 — f)
2 — a)
3 — k)
4 — b)
5 — i)
6 — c)
7 — d)
8 — h)
9 — e)
10 — g)
11 — j)

NA COZINHA III (Pág. 105)

1 — Para fazer um ovo estrelado eu preciso de uma frigideira, um ovo e azeite ou óleo.

2 — ... de um bife, uma frigideira e sal.

3 — ... chá, um bule, água e uma chaleira.

4 — ... uma panela, peixe, água e sal.

5 — ... um prato de sopa, um prato raso, uma colher, uma faca, um garfo e um guardanapo.

6 — ... uma toalha, talheres, pratos de sopa, pratos rasos e copos.

7 — ... de pão e uma torradeira.

8 — ... água, um esfregão e detergente.

9 — ... batatas, óleo ou azeite e uma frigideira.

10 — ... um forno, carne, sal, pimenta, azeite e ervas aromáticas.

NA CASA DE BANHO I (Pág. 107)

1 — secador de cabelo
2 — escova de dentes
3 — retrete / sanita
4 — toalha
5 — champô
6 — máquina de barbear
7 — toalheiro
8 — tapete
9 — sabonete
10 — chuveiro
11 — espelho
12 — torneira
13 — lavatório
14 — banheira
15 — pasta de dentes
16 — escova de cabelo
17 — pente

NA CASA DE BANHO II (Pág. 107)

1 — secador
2 — chuveiro
3 — lavatório
4 — toalha
5 — sabonete
6 — pasta de dentes / escova de dentes
7 — máquina de barbear
8 — pente / escova de cabelo
9 — champô
10 — corta-unhas

NO BANCO I (Pág. 108)

1 — balcão
2 — fila
3 — cheque
4 — caixa
5 — moeda
6 — livro de cheques
7 — nota de 5€
8 — nota de 10€
9 — nota de 20€
10 — nota de 50€
11 — nota de 100€
12 — cartão de crédito

NO BANCO II (Pág. 109)

3
7
5
12
10
8
9
4
11
1
6
2

NO CORREIO I (Pág. 109)

1 — estação de correios
2 — carta
3 — encomenda
4 — postal ilustrado
5 — selo
6 — destinatário
7 — remetente
8 — código postal
9 — guiché
10 — vale postal
11 — carta registada
12 — telefone
13 — caixa de correio
14 — marco de correio
15 — correio azul
16 — impresso
17 — telegrama
18 — envelope

NO CORREIO II (Pág. 110)

1 — b)
2 — j)
3 — g)
4 — e)
5 — f)
6 — i)
7 — h)
8 — c)
9 — a)
10 — d)

O TELEFONE I (Pág. 114)

1 — atender o telefone
2 — levantar o auscultador
3 — cabina telefónica
4 — telefone
5 — descanso
6 — ranhura
7 — telemóvel
8 — desligar / pousar o auscultador
9 — fio
10 — auscultador
11 — lista telefónica
12 — marcar o número
13 — telefonista
14 — cartão de telefone
15 — sinal

O TELEFONE II (Pág. 115)

13
2
15
9
7
8
5
4
1
6
3
12
10
14
11